COCINA ASIÁTICA 2022

RECETAS ASIÁTICAS SÚPER SABROSAS PARA PRINCIPIANTES

ANA LEE

Tabla de contenido

4

5

Introducción

Todo el que ama cocinar, ama experimentar con nuevos platos y nuevas sensaciones gustativas. La cocina china se ha vuelto inmensamente popular en los últimos años porque ofrece una gama diferente de sabores para disfrutar. La mayoría de los platos se cocinan sobre la estufa, y muchos se preparan y cocinan rápidamente, por lo que son ideales para el cocinero ocupado que quiere crear un plato apetitoso y atractivo cuando hay poco tiempo de sobra. Si realmente te gusta la cocina china, probablemente ya tengas un wok, y este es el utensilio perfecto para cocinar la mayoría de los platos del libro. Si aún no estás convencido de que este estilo de cocina es para ti, usa una buena sartén o cacerola para probar las recetas. Cuando descubra lo fáciles de preparar y lo sabroso que es comer, seguramente querrá invertir en un wok para su cocina.

Cerdo Estofado Picante

Para 4 personas

450 g / 1 lb de cerdo, cortado en cubitos

sal y pimienta

30 ml / 2 cucharadas de salsa de soja

30 ml / 2 cucharadas de salsa hoisin

45 ml / 3 cucharadas de aceite de maní (maní)

120 ml / 4 fl oz / ½ taza de vino de arroz o jerez seco

300 ml / ½ pt / 1¼ tazas de caldo de pollo

5 ml / 1 cucharadita de polvo de cinco especias

6 cebolletas (cebolletas), picadas

225 g / 8 oz de hongos ostra, en rodajas

15 ml / 1 cucharada de harina de maíz (maicena)

Sasona la carne con sal y pimienta. Coloque en un plato y mezcle la salsa de soja y la salsa hoisin. Tapar y dejar macerar durante 1 hora. Calentar el aceite y sofreír la carne hasta que se dore. Agregue el vino o jerez, el caldo y el polvo de cinco especias, lleve a ebullición, tape y cocine a fuego lento durante 1 hora. Agregue las cebolletas y los champiñones, retire la tapa y cocine a fuego lento durante 4 minutos más. Licuar la maicena con un poco de agua, llevar a ebullición y hervir a fuego lento, revolviendo, durante 3 minutos hasta que espese la salsa.

Bollos de cerdo al vapor

Hace 12

30 ml / 2 cucharadas de salsa hoisin

15 ml / 1 cucharada de salsa de ostras

15 ml / 1 cucharada de salsa de soja

2,5 ml / ½ cucharadita de aceite de sésamo

30 ml / 2 cucharadas de aceite de cacahuete

10 ml / 2 cucharaditas de raíz de jengibre rallada

1 diente de ajo machacado

300 ml / ½ pt / 1¼ tazas de agua

15 ml / 1 cucharada de harina de maíz (maicena)

225 g / 8 oz de cerdo cocido, finamente picado

4 cebolletas (cebolletas), finamente picadas

350 g / 12 oz / 3 tazas de harina común (para todo uso)

15 ml / 1 cucharada de levadura en polvo

2,5 ml / ½ cucharadita de sal

50 g / 2 oz / ½ taza de manteca de cerdo

5 ml / 1 cucharadita de vinagre de vino

12 x 13 cm cuadrados de papel encerado

Mezcle las salsas hoisin, de ostras y de soja y el aceite de sésamo. Calentar el aceite y sofreír el jengibre y el ajo hasta que estén ligeramente dorados. Agrega la mezcla de salsa y sofríe por

2 minutos. Mezcle 120 ml / 4 fl oz / ½ taza de agua con la harina de maíz y revuelva en la sartén. Lleve a ebullición, revolviendo, luego cocine a fuego lento hasta que la mezcla espese. Agregue la carne de cerdo y las cebollas y deje enfriar.

Mezcle la harina, el polvo de hornear y la sal. Frote la manteca de cerdo hasta que la mezcla se asemeje a un pan rallado fino. Mezcle el vinagre de vino y el agua restante y luego mézclelo con la harina para formar una masa firme. Amasar ligeramente sobre una superficie enharinada, tapar y dejar reposar 20 minutos.

Amasar nuevamente la masa, luego dividirla en 12 y formar una bola con cada una. Extienda a 15 cm / 6 en círculos sobre una superficie enharinada. Coloque cucharadas del relleno en el centro de cada círculo, cepille los bordes con agua y pellizque los bordes para sellar el relleno. Cepille un lado de cada cuadrado de papel vegetal con aceite. Coloque cada bollo en un cuadrado de papel, con la costura hacia abajo. Coloque los bollos en una sola capa sobre una rejilla para vaporera sobre agua hirviendo. Cubra y cocine al vapor los bollos durante unos 20 minutos hasta que estén cocidos.

Cerdo con Col

Para 4 personas

6 hongos chinos secos

30 ml / 2 cucharadas de aceite de cacahuete

450 g / 1 lb de carne de cerdo, cortada en tiras

2 cebollas en rodajas

2 pimientos rojos cortados en tiritas

350 g / 12 oz de repollo blanco, rallado

2 dientes de ajo picados

2 piezas de jengibre de tallo, picado

30 ml / 2 cucharadas de miel

45 ml / 3 cucharadas de salsa de soja

120 ml / 4 fl oz / ½ taza de vino blanco seco

sal y pimienta

10 ml / 2 cucharaditas de harina de maíz (maicena)

15 ml / 1 cucharada de agua

Remojar los champiñones en agua tibia durante 30 minutos y luego escurrir. Deseche los tallos y corte las tapas. Calentar el aceite y sofreír el cerdo hasta que esté ligeramente dorado. Agrega las verduras, el ajo y el jengibre y sofríe durante 1 minuto. Agrega la miel, la salsa de soja y el vino, lleva a ebullición, tapa y cocina a fuego lento durante 40 minutos hasta que la carne esté cocida. Condimentar con sal y pimienta. Mezcle la harina de maíz y el agua y revuelva en la sartén. Deje que hierva, revolviendo continuamente, luego cocine a fuego lento durante 1 minuto.

Para 4 personas

30 ml / 2 cucharadas de aceite de cacahuete

450 g / 1 lb de carne de cerdo magra, cortada en rodajas

sal y pimienta recién molida

1 diente de ajo machacado

1 cebolla finamente picada

½ repollo, rallado

450 g / 1 lb de tomates, sin piel y en cuartos

250 ml / 8 fl oz / 1 taza de caldo

30 ml / 2 cucharadas de harina de maíz (maicena)

15 ml / 1 cucharada de salsa de soja

60 ml / 4 cucharadas de agua

Calentar el aceite y sofreír el cerdo, la sal, la pimienta, el ajo y la cebolla hasta que estén ligeramente dorados. Agregue el repollo, los tomates y el caldo, lleve a ebullición, tape y cocine a fuego lento durante 10 minutos hasta que el repollo esté tierno. Mezcle la harina de maíz, la salsa de soja y el agua hasta obtener una pasta, revuelva en la sartén y cocine a fuego lento, revolviendo, hasta que la salsa se aclare y espese.

Cerdo Marinado con Col

Para 4 personas

350 g / 12 oz de panceta

2 cebolletas (cebolletas), picadas

1 rodaja de raíz de jengibre, picada

1 rama de canela

3 dientes de anís estrellado

45 ml / 3 cucharadas de azúcar morena

600 ml / 1 pt / 2½ tazas de agua

15 ml / 1 cucharada de aceite de cacahuete

15 ml / 1 cucharada de salsa de soja

5 ml / 1 cucharadita de puré de tomate (pasta)

5 ml / 1 cucharadita de salsa de ostras

100 g / 4 oz de corazones de col china

100 g / 4 oz de pak choi

Cortar el cerdo en trozos de 10 cm / 4 y colocar en un bol. Añadir las cebolletas, el jengibre, la canela, el anís estrellado, el azúcar y el agua y dejar reposar 40 minutos. Calentar el aceite, sacar el cerdo de la marinada y añadirlo a la sartén. Freír hasta que esté ligeramente dorado y luego agregar la salsa de soja, el puré de tomate y la salsa de ostras. Llevar a ebullición y cocinar a fuego lento durante unos 30 minutos hasta que el cerdo esté tierno y el líquido se haya reducido, agregando un poco más de agua durante la cocción, si es necesario.

Mientras tanto, cocine al vapor los corazones de repollo y pak choi sobre agua hirviendo durante unos 10 minutos hasta que estén tiernos. Colóquelos en un plato para servir caliente, cubra con la carne de cerdo y vierta la salsa.

Cerdo con Apio

Para 4 personas

45 ml / 3 cucharadas de aceite de maní (maní)

1 diente de ajo machacado

1 cebolla tierna (cebolleta), picada

1 rodaja de raíz de jengibre, picada

225 g / 8 oz de carne de cerdo magra, cortada en tiras

100 g / 4 oz de apio, en rodajas finas

45 ml / 3 cucharadas de salsa de soja

15 ml / 1 cucharada de vino de arroz o jerez seco

5 ml / 1 cucharadita de harina de maíz (maicena)

Calentar el aceite y sofreír el ajo, la cebolleta y el jengibre hasta que estén ligeramente dorados. Agrega la carne de cerdo y sofríe durante 10 minutos hasta que se dore. Agrega el apio y sofríe durante 3 minutos. Agrega el resto de los ingredientes y sofríe durante 3 minutos.

Cerdo con Castañas y Champiñones

Para 4 personas

4 hongos chinos secos

100 g / 4 oz / 1 taza de castañas

30 ml / 2 cucharadas de aceite de cacahuete

2,5 ml / ½ cucharadita de sal

450 g / 1 lb de carne de cerdo magra, en cubos

15 ml / 1 cucharada de salsa de soja

375 ml / 13 fl oz / 1½ tazas de caldo de pollo

100 g / 4 oz de castañas de agua, en rodajas

Remojar los champiñones en agua tibia durante 30 minutos y luego escurrir. Deseche los tallos y corte las tapas a la mitad. Escaldar las castañas en agua hirviendo durante 1 minuto y escurrir. Calentar el aceite y la sal y luego sofreír el cerdo hasta que esté ligeramente dorado. Agrega la salsa de soja y sofríe durante 1 minuto. Añadir el caldo y hervirlo. Agregue las castañas y las castañas de agua, deje que hierva nuevamente, tape y cocine a fuego lento durante aproximadamente 1 hora y media hasta que la carne esté tierna.

Chop Suey de cerdo

Para 4 personas

100 g / 4 oz de brotes de bambú, cortados en tiras

100 g / 4 oz de castañas de agua, en rodajas finas

60 ml / 4 cucharadas de aceite de cacahuete

3 cebolletas (cebolletas), picadas

2 dientes de ajo machacados

1 rodaja de raíz de jengibre, picada

225 g / 8 oz de carne de cerdo magra, cortada en tiras

45 ml / 3 cucharadas de salsa de soja

15 ml / 1 cucharada de vino de arroz o jerez seco

5 ml / 1 cucharadita de sal

5 ml / 1 cucharadita de azúcar

pimienta recién molida

15 ml / 1 cucharada de harina de maíz (maicena)

Escaldar los brotes de bambú y las castañas de agua en agua hirviendo durante 2 minutos, luego escurrir y secar. Calentar 45 ml / 3 cucharadas de aceite y sofreír las cebolletas, el ajo y el jengibre hasta que estén ligeramente dorados. Agrega la carne de cerdo y sofríe durante 4 minutos. Retirar de la sartén.

Calentar el aceite restante y sofreír las verduras durante 3 minutos. Agrega el cerdo, la salsa de soja, el vino o jerez, la sal, el azúcar y una pizca de pimienta y sofríe durante 4 minutos. Mezcle la harina de maíz con un poco de agua, revuélvala en la sartén y cocine a fuego lento, revolviendo, hasta que la salsa se aclare y espese.

Carne de cerdo Chow Mein

Para 4 personas

4 hongos chinos secos

30 ml / 2 cucharadas de aceite de cacahuete

2,5 ml / ½ cucharadita de sal

4 cebolletas (cebolletas), picadas

225 g / 8 oz de carne de cerdo magra, cortada en tiras

15 ml / 1 cucharada de salsa de soja

5 ml / 1 cucharadita de azúcar

3 tallos de apio picados

1 cebolla, cortada en gajos

100 g / 4 oz de champiñones, cortados por la mitad

120 ml / 4 fl oz / ½ taza de caldo de pollo

fideos fritos

Remojar los champiñones en agua tibia durante 30 minutos y luego escurrir. Deseche los tallos y corte las tapas. Calentar el aceite y la sal y sofreír las cebolletas hasta que se ablanden. Agrega el cerdo y sofríe hasta que esté ligeramente dorado. Mezcle la salsa de soja, el azúcar, el apio, la cebolla y los champiñones frescos y secos y saltee durante unos 4 minutos hasta que los ingredientes estén bien mezclados. Agregue el caldo y cocine a fuego lento durante 3 minutos. Agregue la mitad de los fideos a la sartén y revuelva suavemente, luego agregue los fideos restantes y revuelva hasta que se calienten por completo.

Chow Mein de cerdo asado

Para 4 personas

100 g / 4 oz de brotes de soja

45 ml / 3 cucharadas de aceite de maní (maní)

100 g / 4 oz de col china, rallada

225 g / 8 oz de cerdo asado, en rodajas

5 ml / 1 cucharadita de sal

15 ml / 1 cucharada de vino de arroz o jerez seco

Escaldar los brotes de soja en agua hirviendo durante 4 minutos y luego escurrir. Calentar el aceite y sofreír los brotes de soja y el repollo hasta que se ablanden. Agregue el cerdo, la sal y el jerez y saltee hasta que esté bien caliente. Agregue la mitad de los fideos escurridos a la sartén y revuelva suavemente hasta que se calienten por completo. Agregue los fideos restantes y revuelva hasta que esté bien caliente.

Cerdo con Chutney

Para 4 personas

5 ml / 1 cucharadita de polvo de cinco especias

5 ml / 1 cucharadita de curry en polvo

450 g / 1 lb de carne de cerdo, cortada en tiras

30 ml / 2 cucharadas de aceite de cacahuete

6 cebolletas (cebolletas), cortadas en tiras

1 rama de apio, cortado en tiras

100 g / 4 oz de brotes de soja

1 frasco de 200 g / 7 oz de pepinillos dulces chinos, cortados en cubitos

45 ml / 3 cucharadas de chutney de mango

30 ml / 2 cucharadas de salsa de soja

30 ml / 2 cucharadas de puré de tomate (pasta)

150 ml / ¼ pt / generosa ½ taza de caldo de pollo

10 ml / 2 cucharaditas de harina de maíz (maicena)

Frote bien las especias en el cerdo. Calentar el aceite y sofreír la carne durante 8 minutos o hasta que esté cocida. Retirar de la sartén. Agrega las verduras a la sartén y sofríe durante 5 minutos. Regrese la carne de cerdo a la sartén con todos los ingredientes restantes excepto la harina de maíz. Revuelva hasta que esté bien caliente. Mezclar la harina de maíz con un poco de agua, revolver en la sartén y cocinar a fuego lento, revolviendo, hasta que la salsa espese.

Cerdo con Pepino

Para 4 personas

225 g / 8 oz de carne de cerdo magra, cortada en tiras
30 ml / 2 cucharadas de harina común (para todo uso)
sal y pimienta recién molida
60 ml / 4 cucharadas de aceite de cacahuete
225 g / 8 oz de pepino, pelado y en rodajas
30 ml / 2 cucharadas de salsa de soja

Mezcle la carne de cerdo con la harina y sazone con sal y pimienta. Calentar el aceite y sofreír el cerdo durante unos 5 minutos hasta que esté cocido. Agrega el pepino y la salsa de soja y sofríe durante 4 minutos más. Verifique y ajuste el condimento y sirva con arroz frito.

Paquetes de cerdo crujiente

Para 4 personas

4 hongos chinos secos

30 ml / 2 cucharadas de aceite de cacahuete

225 g / 8 oz de filete de cerdo, picado (molido)

50 g / 2 oz de gambas peladas y picadas

15 ml / 1 cucharada de salsa de soja

15 ml / 1 cucharada de harina de maíz (maicena)

30 ml / 2 cucharadas de agua

8 envoltorios de rollitos de primavera

100 g / 4 oz / 1 taza de harina de maíz (maicena)

aceite para freír

Remojar los champiñones en agua tibia durante 30 minutos y luego escurrir. Desechar los tallos y picar finamente las tapas. Calentar el aceite y sofreír las setas, el cerdo, las gambas y la salsa de soja durante 2 minutos. Mezcle la harina de maíz y el agua hasta obtener una pasta y revuelva en la mezcla para hacer el relleno.

Corta los envoltorios en tiras, coloca un poco de relleno al final de cada uno y enrolla en triángulos, sellando con un poco de la mezcla de harina y agua. Espolvoree generosamente con harina de maíz. Calentar el aceite y sofreír los triángulos hasta que estén crujientes y dorados. Escurrir bien antes de servir.

Rollos de huevo de cerdo

Para 4 personas

225 g / 8 oz de carne de cerdo magra, desmenuzada
1 rodaja de raíz de jengibre, picada
1 cebolleta picada
15 ml / 1 cucharada de salsa de soja
15 ml / 1 cucharada de agua
12 pieles de rollitos de huevo
1 huevo batido
aceite para freír

Mezcle el cerdo, el jengibre, la cebolla, la salsa de soja y el agua. Coloca un poco del relleno en el centro de cada piel y pinta los bordes con huevo batido. Doble los lados y luego enrolle el rollo de huevo lejos de usted, sellando los bordes con huevo. Cocine al vapor sobre una rejilla en una vaporera durante 30 minutos hasta que la carne de cerdo esté cocida. Calentar el aceite y sofreír durante unos minutos hasta que esté crujiente y dorado.

Rollitos de huevo de cerdo y gambas

Para 4 personas

30 ml / 2 cucharadas de aceite de cacahuete

225 g / 8 oz de carne de cerdo magra, desmenuzada

6 cebolletas (cebolletas), picadas

225 g / 8 oz de brotes de soja

100 g / 4 oz de gambas peladas, picadas

15 ml / 1 cucharada de salsa de soja

2,5 ml / ½ cucharadita de sal

12 pieles de rollitos de huevo

1 huevo batido

aceite para freír

Calentar el aceite y freír el cerdo y las cebolletas hasta que estén ligeramente doradas. Mientras tanto, escaldar los brotes de soja en agua hirviendo durante 2 minutos y luego escurrir. Agregue los brotes de soja a la sartén y saltee durante 1 minuto. Agrega las gambas, la salsa de soja y la sal y sofríe durante 2 minutos. Dejar enfriar.

Coloque un poco de relleno en el centro de cada piel y cepille los bordes con huevo batido. Doble los lados y luego enrolle los rollos de huevo, sellando los bordes con huevo. Calentar el aceite y sofreír los rollitos de huevo hasta que estén crujientes y dorados.

Cerdo Estofado con Huevos

Para 4 personas

450 g / 1 libra de carne de cerdo magra
30 ml / 2 cucharadas de aceite de cacahuete
1 cebolla picada
90 ml / 6 cucharadas de salsa de soja
45 ml / 3 cucharadas de vino de arroz o jerez seco
15 ml / 1 cucharada de azúcar morena
3 huevos duros (duros)

Llevar a ebullición una cacerola con agua, agregar el cerdo, volver a hervir y hervir hasta sellar. Retirar de la sartén, escurrir bien y luego cortar en cubos. Calentar el aceite y sofreír la cebolla hasta que se ablande. Agrega el cerdo y sofríe hasta que esté ligeramente dorado. Agregue la salsa de soja, el vino o el jerez y el azúcar, tape y cocine a fuego lento durante 30 minutos, revolviendo ocasionalmente. Marque ligeramente el exterior de los huevos y luego agréguelos a la sartén, cubra y cocine a fuego lento durante 30 minutos más.

Cerdo ardiente

Para 4 personas

450 g / 1 libra de filete de cerdo, cortado en tiras

30 ml / 2 cucharadas de salsa de soja

30 ml / 2 cucharadas de salsa hoisin

5 ml / 1 cucharadita de polvo de cinco especias

15 ml / 1 cucharada de pimienta

15 ml / 1 cucharada de azúcar morena

15 ml / 1 cucharada de aceite de sésamo

30 ml / 2 cucharadas de aceite de cacahuete

6 cebolletas (cebolletas), picadas

1 pimiento verde cortado en trozos

200 g / 7 oz de brotes de soja

2 rodajas de piña, cortadas en cubitos

45 ml / 3 cucharadas de salsa de tomate (salsa de tomate)

150 ml / ¼ pt / generosa ½ taza de caldo de pollo

Coloca la carne en un bol. Mezclar la salsa de soja, la salsa hoisin, el polvo de cinco especias, la pimienta y el azúcar, verter sobre la carne y dejar macerar durante 1 hora. Calentar los aceites y sofreír la carne hasta que se dore. Retirar de la sartén. Agrega las verduras y sofríe durante 2 minutos. Agrega la piña, la salsa de tomate y el caldo y lleva a ebullición. Regrese la carne a la sartén y caliente antes de servir.

Filete de cerdo frito

Para 4 personas

350 g / 12 oz de filete de cerdo, en cubos
15 ml / 1 cucharada de vino de arroz o jerez seco
15 ml / 1 cucharada de salsa de soja
5 ml / 1 cucharadita de aceite de sésamo
30 ml / 2 cucharadas de harina de maíz (maicena)
aceite para freír

Mezcle la carne de cerdo, el vino o el jerez, la salsa de soja, el aceite de sésamo y la harina de maíz para que la carne de cerdo quede cubierta con una masa espesa. Calentar el aceite y sofreír la carne de cerdo durante unos 3 minutos hasta que esté crujiente. Retirar la carne de cerdo de la sartén, recalentar el aceite y volver a freír durante unos 3 minutos.

Carne de cerdo con cinco especias

Para 4 personas

225 g / 8 oz de carne de cerdo magra

5 ml / 1 cucharadita de harina de maíz (maicena)

2,5 ml / ½ cucharadita de polvo de cinco especias

2,5 ml / ½ cucharadita de sal

15 ml / 1 cucharada de vino de arroz o jerez seco

20 ml / 2 cucharadas de aceite de cacahuete

120 ml / 4 fl oz / ½ taza de caldo de pollo

Cortar la carne de cerdo en rodajas finas a contrapelo. Mezcle la carne de cerdo con la harina de maíz, cinco especias en polvo, sal y vino o jerez y revuelva bien para cubrir la carne de cerdo. Deje reposar durante 30 minutos, revolviendo de vez en cuando. Calentar el aceite, agregar la carne de cerdo y sofreír durante unos 3 minutos. Agrega el caldo, lleva a ebullición, tapa y cocina a fuego lento durante 3 minutos. Servir inmediatamente.

Cerdo Estofado Fragante

Sirve de 6 a 8

1 pieza de cáscara de mandarina

45 ml / 3 cucharadas de aceite de maní (maní)

900 g / 2 lb de carne de cerdo magra, en cubos

250 ml / 8 fl oz / 1 taza de vino de arroz o jerez seco

120 ml / 4 fl oz / ½ taza de salsa de soja

2,5 ml / ½ cucharadita de anís en polvo

½ rama de canela

4 dientes

5 ml / 1 cucharadita de sal

250 ml / 8 fl oz / 1 taza de agua

2 cebolletas (cebolletas), en rodajas

1 rodaja de raíz de jengibre, picada

Remoja la cáscara de mandarina en agua mientras preparas el plato. Calentar el aceite y sofreír el cerdo hasta que esté ligeramente dorado. Agrega el vino o jerez, la salsa de soja, el anís en polvo, la canela, el clavo, la sal y el agua. Llevar a ebullición, añadir la cáscara de mandarina, la cebolleta y el jengibre. Tape y cocine a fuego lento durante aproximadamente 1½ horas hasta que estén tiernos, revolviendo ocasionalmente y agregando un poco más de agua hirviendo si es necesario. Retire las especias antes de servir.

Cerdo con Ajo Picado

Para 4 personas

450 g / 1 lb de panceta de cerdo, sin piel

3 rodajas de raíz de jengibre

2 cebolletas (cebolletas), picadas

30 ml / 2 cucharadas de ajo picado

30 ml / 2 cucharadas de salsa de soja

5 ml / 1 cucharadita de sal

15 ml / 1 cucharada de caldo de pollo

2,5 ml / ½ cucharadita de aceite de chile

4 ramitas de cilantro

Coloque el cerdo en una sartén con el jengibre y las cebolletas, cubra con agua, hierva y cocine a fuego lento durante 30 minutos hasta que esté bien cocido. Retirar y escurrir bien, luego cortar en rodajas finas de unos 5 cm / 2 en cuadrado. Coloca las rodajas en un colador de metal. Lleve a ebullición una olla con agua, agregue las rodajas de cerdo y cocine por 3 minutos hasta que esté bien caliente. Disponga en un plato para servir caliente. Mezcle el ajo, la salsa de soja, la sal, el caldo y el aceite de chile y vierta sobre la carne de cerdo. Sirva adornado con cilantro.

Cerdo Salteado con Jengibre

Para 4 personas

225 g / 8 oz de carne de cerdo magra

5 ml / 1 cucharadita de harina de maíz (maicena)

30 ml / 2 cucharadas de salsa de soja

30 ml / 2 cucharadas de aceite de cacahuete

1 rodaja de raíz de jengibre, picada

1 cebolla tierna (cebolleta), en rodajas

45 ml / 3 cucharadas de agua

5 ml / 1 cucharadita de azúcar morena

Cortar la carne de cerdo en rodajas finas a contrapelo. Agregue la harina de maíz, luego espolvoree con salsa de soja y mezcle nuevamente. Calentar el aceite y sofreír el cerdo durante 2 minutos hasta que esté sellado. Agrega el jengibre y la cebolleta y sofríe durante 1 minuto. Agregue el agua y el azúcar, cubra y cocine a fuego lento durante unos 5 minutos hasta que esté bien cocido.

Cerdo con Judías Verdes

Para 4 personas

450 g / 1 libra de judías verdes, cortadas en trozos

30 ml / 2 cucharadas de aceite de cacahuete

2,5 ml / ½ cucharadita de sal

1 rodaja de raíz de jengibre, picada

225 g / 8 oz de carne de cerdo magra, picada (molida)

120 ml / 4 fl oz / ½ taza de caldo de pollo

75 ml / 5 cucharadas de agua

2 huevos

15 ml / 1 cucharada de harina de maíz (maicena)

Hierva los frijoles durante unos 2 minutos y luego escurra. Calentar el aceite y sofreír la sal y el jengibre durante unos segundos. Agrega el cerdo y sofríe hasta que esté ligeramente dorado. Agregue los frijoles y saltee durante 30 segundos, cubriendo con el aceite. Agregue el caldo, lleve a ebullición, tape y cocine a fuego lento durante 2 minutos. Bate 30 ml / 2 cucharadas de agua con los huevos y revuélvelos en la sartén. Mezcle el agua restante con la harina de maíz. Cuando los huevos comiencen a cuajar, agregue la harina de maíz y cocine hasta que la mezcla espese. Servir inmediatamente.

Cerdo con Jamón y Tofu

Para 4 personas

4 hongos chinos secos

5 ml / 1 cucharadita de aceite de cacahuete

100 g / 4 oz de jamón ahumado, rebanado

225 g / 8 oz de tofu, en rodajas

225 g / 8 oz de carne de cerdo magra, rebanada

15 ml / 1 cucharada de vino de arroz o jerez seco

sal y pimienta recién molida

1 rodaja de raíz de jengibre, picada

1 cebolla tierna (cebolleta), picada

10 ml / 2 cucharaditas de harina de maíz (maicena)

30 ml / 2 cucharadas de agua

Remojar los champiñones en agua tibia durante 30 minutos y luego escurrir. Deseche los tallos y corte las tapas a la mitad. Frote un recipiente resistente al calor con aceite de cacahuete. Coloque los champiñones, el jamón, el tofu y el cerdo en capas en el plato, con el cerdo encima. Espolvorear con vino o jerez, sal y pimienta, jengibre y cebolleta. Cubra y cocine al vapor sobre una rejilla sobre agua hirviendo durante unos 45 minutos hasta que esté cocido. Escurre la salsa del bol sin alterar los ingredientes. Agregue suficiente agua para completar 250 ml / 8 fl oz / 1 taza. Mezcle la harina de maíz y el agua y mezcle con la salsa. Lleve al tazón y cocine a fuego lento, revolviendo, hasta que la salsa se aclare y espese. Coloque la mezcla de cerdo en un plato para servir caliente, vierta sobre la salsa y sirva.

Para 4 personas

450 g / 1 libra de filete de cerdo, en rodajas finas

100 g / 4 oz de jamón cocido, en rodajas finas

6 castañas de agua, en rodajas finas

30 ml / 2 cucharadas de salsa de soja

30 ml / 2 cucharadas de vinagre de vino

15 ml / 1 cucharada de azúcar morena

15 ml / 1 cucharada de salsa de ostras

unas gotas de aceite de guindilla

45 ml / 3 cucharadas de harina de maíz (maicena)

30 ml / 2 cucharadas de vino de arroz o jerez seco

2 huevos batidos

aceite para freír

Enhebrar alternativamente el cerdo, el jamón y las castañas de agua en pequeñas brochetas. Mezcle la salsa de soja, el vinagre de vino, el azúcar, la salsa de ostras y el aceite de guindilla. Verter sobre las brochetas, tapar y dejar macerar en el frigorífico durante 3 horas. Mezcle la harina de maíz, el vino o el jerez y los huevos hasta obtener una masa suave y espesa. Gire las brochetas en la masa para cubrirlas. Calentar el aceite y freír las brochetas hasta que estén ligeramente doradas.

Codillo de cerdo estofado en salsa roja

Para 4 personas

1 codillo grande de cerdo

1 l / 1½ pts / 4¼ tazas de agua hirviendo

5 ml / 1 cucharadita de sal

120 ml / 4 fl oz / ½ taza de vinagre de vino

120 ml / 4 fl oz / ½ taza de salsa de soja

45 ml / 3 cucharadas de miel

5 ml / 1 cucharadita de bayas de enebro

5 ml / 1 cucharadita de anís

5 ml / 1 cucharadita de cilantro

60 ml / 4 cucharadas de aceite de cacahuete

6 cebolletas (cebolletas), en rodajas

2 zanahorias, en rodajas finas

1 rama de apio, en rodajas

45 ml / 3 cucharadas de salsa hoisin

30 ml / 2 cucharadas de chutney de mango

75 ml / 5 cucharadas de puré de tomate (pasta)

1 diente de ajo machacado

60 ml / 4 cucharadas de cebollino picado

Llevar a ebullición el codillo de cerdo con el agua, la sal, el
vinagre de vino, 45 ml / 3 cucharadas de salsa de soja, la miel y

las especias. Agregue las verduras, vuelva a hervir, tape y cocine a fuego lento durante aproximadamente 1 ½ horas hasta que la carne esté tierna. Retirar la carne y las verduras de la sartén, cortar la carne del hueso y cortarla en dados. Calentar el aceite y freír la carne hasta que se dore. Agrega las verduras y sofríe durante 5 minutos. Agrega el resto de la salsa de soja, la salsa hoisin, el chutney, el puré de tomate y el ajo. Lleve a ebullición, revolviendo, luego cocine a fuego lento durante 3 minutos. Sirve espolvoreado con cebollino.

Cerdo adobado

Para 4 personas

450 g / 1 libra de carne de cerdo magra

1 rodaja de raíz de jengibre, picada

1 diente de ajo machacado

90 ml / 6 cucharadas de salsa de soja

15 ml / 1 cucharada de vino de arroz o jerez seco

45 ml / 3 cucharadas de aceite de maní (maní)

1 cebolla tierna (cebolleta), en rodajas

15 ml / 1 cucharada de azúcar morena

pimienta recién molida

Mezclar el cerdo con el jengibre, el ajo, 30 ml / 2 cucharadas de salsa de soja y vino o jerez. Deje reposar durante 30 minutos, revolviendo ocasionalmente, luego levante la carne del adobo. Calentar el aceite y sofreír el cerdo hasta que esté ligeramente dorado. Agregue la cebolleta, el azúcar, la salsa de soja restante y una pizca de pimiento, tape y cocine a fuego lento durante unos 45 minutos hasta que la carne de cerdo esté cocida. Corta la carne de cerdo en cubos y sírvela.

Chuletas de cerdo marinadas

Para 6

6 chuletas de cerdo

1 rodaja de raíz de jengibre, picada

1 diente de ajo machacado

90 ml / 6 cucharadas de salsa de soja

30 ml / 2 cucharadas de vino de arroz o jerez seco

45 ml / 3 cucharadas de aceite de maní (maní)

2 cebolletas (cebolletas), picadas

15 ml / 1 cucharada de azúcar morena

pimienta recién molida

Cortar el hueso de las chuletas de cerdo y cortar la carne en cubos. Mezclar el jengibre, el ajo, 30 ml / 2 cucharadas de salsa de soja y el vino o jerez, verter sobre el cerdo y dejar macerar durante 30 minutos, revolviendo de vez en cuando. Retire la carne de la marinada. Calentar el aceite y sofreír el cerdo hasta que esté ligeramente dorado. Agrega las cebolletas y sofríe durante 1 minuto. Mezclar el resto de la salsa de soja con el azúcar y una pizca de pimienta. Agregue la salsa, lleve a ebullición, tape y cocine a fuego lento durante unos 30 minutos hasta que la carne de cerdo esté tierna.

Cerdo con Champiñones

Para 4 personas

25 g / 1 oz de champiñones chinos secos

30 ml / 2 cucharadas de aceite de cacahuete

1 diente de ajo picado

225 g / 8 oz de carne de cerdo magra, cortada en rodajas

4 cebolletas (cebolletas), picadas

15 ml / 1 cucharada de salsa de soja

15 ml / 1 cucharada de vino de arroz o jerez seco

5 ml / 1 cucharadita de aceite de sésamo

Remojar los champiñones en agua tibia durante 30 minutos y luego escurrir. Deseche los tallos y corte las tapas. Calentar el aceite y sofreír los ajos hasta que estén ligeramente dorados. Agrega la carne de cerdo y sofríe hasta que se dore. Agregue las cebolletas, los champiñones, la salsa de soja y el vino o jerez y saltee durante 3 minutos. Agregue el aceite de sésamo y sirva inmediatamente.

Pastel de carne al vapor

Para 4 personas

450 g / 1 libra de carne de cerdo picada (molida)

4 castañas de agua, finamente picadas

225 g / 8 oz de champiñones, finamente picados

5 ml / 1 cucharadita de salsa de soja

sal y pimienta recién molida

1 huevo, ligeramente batido

Mezcle bien todos los ingredientes y forme con la mezcla un pastel plano en un plato refractario. Coloque el plato sobre una rejilla en una vaporera, cubra y cocine al vapor durante 1 ½ horas.

Carne de cerdo cocida al rojo con champiñones

Para 4 personas

450 g / 1 lb de carne de cerdo magra, en cubos

250 ml / 8 fl oz / 1 taza de agua

15 ml / 1 cucharada de salsa de soja

15 ml / 1 cucharada de vino de arroz o jerez seco

5 ml / 1 cucharadita de azúcar

5 ml / 1 cucharadita de sal

225 g / 8 oz de champiñones

Coloca la carne de cerdo y el agua en una cacerola y lleva el agua a ebullición. Tape y cocine a fuego lento durante 30 minutos, luego escurra, reservando el caldo. Regrese el cerdo a la sartén y agregue la salsa de soja. Cocine a fuego lento, revolviendo, hasta que se absorba la salsa de soja. Agregue el vino o jerez, el azúcar y la sal. Vierta el caldo reservado, lleve a ebullición, tape y cocine a fuego lento durante unos 30 minutos, dando vuelta la carne de vez en cuando. Agregue los champiñones y cocine a fuego lento durante 20 minutos más.

Panqueque de cerdo con fideos

Para 4 personas

30 ml / 2 cucharadas de aceite de cacahuete

5 ml / 2 cucharaditas de sal

225 g / 8 oz de carne de cerdo magra, cortada en tiras

225 g / 8 oz de col china, rallada

100 g / 4 oz de brotes de bambú, triturados

100 g / 4 oz de champiñones, en rodajas finas

150 ml / ¼ pt / generosa ½ taza de caldo de pollo

10 ml / 2 cucharaditas de harina de maíz (maicena)

15 ml / 1 cucharada de vino de arroz o jerez seco

15 ml / 1 cucharada de agua

panqueque de fideos

Calentar el aceite y sofreír la sal y el cerdo hasta que tengan un color ligero. Agrega el repollo, los brotes de bambú y los champiñones y sofríe durante 1 minuto. Agrega el caldo, lleva a ebullición, tapa y cocina a fuego lento durante 4 minutos hasta que la carne de cerdo esté cocida. Mezcle la harina de maíz hasta obtener una pasta con el vino o jerez y agua, revuélvala en la sartén y cocine a fuego lento, revolviendo, hasta que la salsa se aclare y espese. Vierta sobre el panqueque de fideos para servir.

Cerdo y Langostinos con Panqueque de Fideos

Para 4 personas

30 ml / 2 cucharadas de aceite de cacahuete

5 ml / 1 cucharadita de sal

4 cebolletas (cebolletas), picadas

1 diente de ajo machacado

225 g / 8 oz de carne de cerdo magra, cortada en tiras

100 g / 4 oz de champiñones, en rodajas

4 tallos de apio, en rodajas

225 g / 8 oz de gambas peladas

30 ml / 2 cucharadas de salsa de soja

10 ml / 1 cucharadita de harina de maíz (maicena)

45 ml / 3 cucharadas de agua

panqueque de fideos

Calentar el aceite y la sal y sofreír las cebolletas y los ajos hasta que se ablanden. Agrega el cerdo y sofríe hasta que esté ligeramente dorado. Agrega los champiñones y el apio y sofríe durante 2 minutos. Agregue las gambas, espolvoree con salsa de soja y revuelva hasta que estén bien calientes. Mezcle la harina de maíz y el agua hasta obtener una pasta, revuelva en la sartén y cocine a fuego lento, revolviendo, hasta que esté caliente. Vierta sobre el panqueque de fideos para servir.

Cerdo con Salsa de Ostras

Para 4 a 6 porciones

450 g / 1 libra de carne de cerdo magra

15 ml / 1 cucharada de harina de maíz (maicena)

10 ml / 2 cucharaditas de vino de arroz o jerez seco

una pizca de azúcar

45 ml / 3 cucharadas de aceite de maní (maní)

10 ml / 2 cucharaditas de agua

30 ml / 2 cucharadas de salsa de ostras

pimienta recién molida

1 rodaja de raíz de jengibre, picada

60 ml / 4 cucharadas de caldo de pollo

Cortar la carne de cerdo en rodajas finas a contrapelo. Mezcle 5 ml / 1 cucharadita de harina de maíz con el vino o jerez, el azúcar y 5 ml / 1 cucharadita de aceite, agregue al cerdo y revuelva bien para cubrir. Licúa el resto de la maicena con el agua, la salsa de ostras y una pizca de pimienta. Calentar el aceite restante y freír el jengibre durante 1 minuto. Agrega el cerdo y sofríe hasta que esté ligeramente dorado. Agrega el caldo y la mezcla de agua y salsa de ostras, lleva a ebullición, tapa y cocina a fuego lento durante 3 minutos.

Cerdo con maní

Para 4 personas

450 g / 1 lb de carne de cerdo magra, en cubos

15 ml / 1 cucharada de harina de maíz (maicena)

5 ml / 1 cucharadita de sal

1 clara de huevo

3 cebolletas (cebolletas), picadas

1 diente de ajo picado

1 rodaja de raíz de jengibre, picada

45 ml / 3 cucharadas de caldo de pollo

15 ml / 1 cucharada de vino de arroz o jerez seco

15 ml / 1 cucharada de salsa de soja

10 ml / 2 cucharaditas de melaza negra

45 ml / 3 cucharadas de aceite de maní (maní)

½ pepino, en cubos

25 g / 1 oz / ¼ taza de maní sin cáscara

5 ml / 1 cucharadita de aceite de chile

Mezclar la carne de cerdo con la mitad de la maicena, la sal y la clara de huevo y revolver bien para cubrir la carne de cerdo. Mezclar el resto de la harina de maíz con las cebolletas, el ajo, el jengibre, el caldo, el vino o jerez, la salsa de soja y la melaza. Calentar el aceite y sofreír el cerdo hasta que esté ligeramente dorado y luego retirarlo de la sartén. Agrega el pepino a la sartén y sofríe durante unos minutos. Regrese la carne de cerdo a la sartén y revuelva ligeramente. Agregue la mezcla de condimentos, lleve a ebullición y cocine a fuego lento, revolviendo, hasta que la salsa se aclare y espese. Agregue los cacahuetes y el aceite de chile y caliente antes de servir.

Cerdo con Pimientos

Para 4 personas

45 ml / 3 cucharadas de aceite de maní (maní)

225 g / 8 oz de carne de cerdo magra, en cubos

1 cebolla cortada en cubitos

2 pimientos verdes, cortados en cubitos

½ cabeza de hojas chinas, cortadas en cubitos

1 rodaja de raíz de jengibre, picada

15 ml / 1 cucharada de salsa de soja

15 ml / 1 cucharada de azúcar

2,5 ml / ½ cucharadita de sal

Calentar el aceite y sofreír el cerdo durante unos 4 minutos hasta que se dore. Agrega la cebolla y sofríe durante aproximadamente 1 minuto. Agrega los pimientos y sofríe durante 1 minuto. Agrega las hojas chinas y sofríe durante 1 minuto. Mezcle los ingredientes restantes, revuélvalos en la sartén y saltee durante 2 minutos más.

Cerdo picante con encurtidos

Para 4 personas

900 g / 2 lb de chuletas de cerdo

30 ml / 2 cucharadas de harina de maíz (maicena)

45 ml / 3 cucharadas de salsa de soja

30 ml / 2 cucharadas de jerez dulce

5 ml / 1 cucharadita de raíz de jengibre rallada

2,5 ml / ½ cucharadita de polvo de cinco especias

pizca de pimienta recién molida

aceite para freír

60 ml / 4 cucharadas de caldo de pollo

Verduras encurtidas chinas

Recorta las chuletas descartando toda la grasa y los huesos. Mezcle la harina de maíz, 30 ml / 2 cucharadas de salsa de soja, el jerez, el jengibre, el polvo de cinco especias y la pimienta. Vierta sobre el cerdo y revuelva para cubrirlo por completo. Tapar y dejar macerar durante 2 horas, volteando de vez en cuando. Calentar el aceite y sofreír el cerdo hasta que esté dorado y bien cocido. Escurrir sobre papel de cocina. Corte la carne de cerdo en rodajas gruesas, transfiérala a un plato para servir caliente y manténgala caliente. Mezcle el caldo y la salsa de soja restante en una cacerola pequeña. Llevar a ebullición y verter sobre las lonchas de cerdo. Sirva adornado con encurtidos mixtos.

Cerdo con Salsa de Ciruela

Para 4 personas

450 g / 1 lb de cerdo para guisar, cortado en cubitos

2 dientes de ajo machacados

sal

60 ml / 4 cucharadas de salsa de tomate (salsa de tomate)

30 ml / 2 cucharadas de salsa de soja

45 ml / 3 cucharadas de salsa de ciruela

5 ml / 1 cucharadita de curry en polvo

5 ml / 1 cucharadita de pimentón

2,5 ml / ½ cucharadita de pimienta recién molida

45 ml / 3 cucharadas de aceite de maní (maní)

6 cebolletas (cebolletas), cortadas en tiras

4 zanahorias, cortadas en tiras

Marina la carne con el ajo, la sal, la salsa de tomate, la salsa de soja, la salsa de ciruela, el curry en polvo, el pimentón y la pimienta durante 30 minutos. Calentar el aceite y freír la carne hasta que esté ligeramente dorada. Retirar del wok. Agrega las verduras al aceite y sofríe hasta que estén tiernas. Regrese la carne a la sartén y vuelva a calentar suavemente antes de servir.

Cerdo con Langostinos

Sirve de 6 a 8

900 g / 2 lb de cerdo magro

30 ml / 2 cucharadas de aceite de cacahuete

1 cebolla en rodajas

1 cebolla tierna (cebolleta), picada

2 dientes de ajo machacados

30 ml / 2 cucharadas de salsa de soja

50 g / 2 oz de gambas peladas, picadas

(suelo)

600 ml / 1 pt / 2½ tazas de agua hirviendo

15 ml / 1 cucharada de azúcar

Ponga a hervir una cacerola con agua, agregue el cerdo, tape y cocine a fuego lento durante 10 minutos. Retirar de la sartén y escurrir bien luego cortar en cubos. Calentar el aceite y sofreír la cebolla, la cebolleta y el ajo hasta que estén ligeramente dorados. Agrega el cerdo y sofríe hasta que esté ligeramente dorado. Agrega la salsa de soja y las gambas y sofríe durante 1 minuto. Agregue el agua hirviendo y el azúcar, tape y cocine a fuego lento durante unos 40 minutos hasta que la carne de cerdo esté tierna.

Cerdo cocido rojo

Para 4 personas

675 g / 1½ lb de carne de cerdo magra, en cubos

250 ml / 8 fl oz / 1 taza de agua

1 rodaja de raíz de jengibre, triturada

60 ml / 4 cucharadas de salsa de soja

15 ml / 1 cucharada de vino de arroz o jerez seco

5 ml / 1 cucharadita de sal

10 ml / 2 cucharaditas de azúcar morena

Coloca la carne de cerdo y el agua en una cacerola y lleva el agua a ebullición. Agregue el jengibre, la salsa de soja, el jerez y la sal, tape y cocine a fuego lento durante 45 minutos. Agregue el azúcar, dé la vuelta a la carne, tape y cocine a fuego lento durante 45 minutos más hasta que la carne de cerdo esté tierna.

Cerdo en Salsa Roja

Para 4 personas

30 ml / 2 cucharadas de aceite de cacahuete

225 g / 8 oz de riñones de cerdo, cortados en tiras

450 g / 1 lb de carne de cerdo, cortada en tiras

1 cebolla en rodajas

4 cebolletas (cebolletas), cortadas en tiras

2 zanahorias, cortadas en tiras

1 rama de apio, cortado en tiras

1 pimiento rojo cortado en tiras

45 ml / 3 cucharadas de salsa de soja

45 ml / 3 cucharadas de vino blanco seco

300 ml / ½ pt / 1¼ tazas de caldo de pollo

30 ml / 2 cucharadas de salsa de ciruela

30 ml / 2 cucharadas de vinagre de vino

5 ml / 1 cucharadita de polvo de cinco especias

5 ml / 1 cucharadita de azúcar morena

15 ml / 1 cucharada de harina de maíz (maicena)

15 ml / 1 cucharada de agua

Calentar el aceite y freír los riñones durante 2 minutos y luego sacarlos de la sartén. Recalentar el aceite y freír el cerdo hasta que esté ligeramente dorado. Agrega las verduras y sofríe durante

3 minutos. Agregue la salsa de soja, el vino, el caldo, la salsa de ciruela, el vinagre de vino, el polvo de cinco especias y el azúcar, lleve a ebullición, tape y cocine a fuego lento durante 30 minutos hasta que esté cocido. Agrega los riñones. Mezcle la harina de maíz y el agua y revuelva en la sartén. Lleve a ebullición y cocine a fuego lento, revolviendo, hasta que la salsa espese.

Cerdo con Fideos de Arroz

Para 4 personas

4 hongos chinos secos

100 g / 4 oz de fideos de arroz

225 g / 8 oz de carne de cerdo magra, cortada en tiras

15 ml / 1 cucharada de harina de maíz (maicena)

15 ml / 1 cucharada de salsa de soja

15 ml / 1 cucharada de vino de arroz o jerez seco

45 ml / 3 cucharadas de aceite de maní (maní)

2,5 ml / ½ cucharadita de sal

1 rodaja de raíz de jengibre, picada

2 tallos de apio picados

120 ml / 4 fl oz / ½ taza de caldo de pollo

2 cebolletas (cebolletas), en rodajas

Remojar los champiñones en agua tibia durante 30 minutos y luego escurrir. Desechar los tallos y cortar las tapas. Remojar los fideos en agua tibia durante 30 minutos, escurrir y cortar en trozos de 5 cm / 2. Coloca la carne de cerdo en un bol. Mezcle la harina de maíz, la salsa de soja y el vino o jerez, vierta sobre la carne de cerdo y mezcle para cubrir. Calentar el aceite y freír la sal y el jengibre durante unos segundos. Agrega el cerdo y sofríe hasta que esté ligeramente dorado. Agrega los champiñones y el apio y sofríe durante 1 minuto. Agrega el caldo, lleva a ebullición, tapa y cocina a fuego lento durante 2 minutos. Agregue los fideos y caliente durante 2 minutos. Agregue las cebolletas y sirva de inmediato.

Bolas de cerdo ricas

Para 4 personas

450 g / 1 libra de carne de cerdo picada (molida)

100 g / 4 oz de tofu, triturado

4 castañas de agua, finamente picadas

sal y pimienta recién molida

120 ml / 4 fl oz / ½ taza de aceite de maní (maní)

1 rodaja de raíz de jengibre, picada

600 ml / 1 pt / 2½ tazas de caldo de pollo

15 ml / 1 cucharada de salsa de soja

5 ml / 1 cucharadita de azúcar morena

5 ml / 1 cucharadita de vino de arroz o jerez seco

Mezclar el cerdo, el tofu y las castañas y sazonar con sal y pimienta. Forme bolas grandes. Calentar el aceite y freír las bolas de cerdo hasta que estén doradas por todos lados y luego retirar de la sartén. Escurra todo menos 15 ml / 1 cucharada de aceite y agregue el jengibre, el caldo, la salsa de soja, el azúcar y el vino o jerez. Regrese las bolas de cerdo a la sartén, hierva y cocine a fuego lento durante 20 minutos hasta que estén bien cocidas.

Chuletas de cerdo asadas

Para 4 personas

4 chuletas de cerdo

75 ml / 5 cucharadas de salsa de soja

aceite para freír

100 g / 4 oz de ramas de apio

3 cebolletas (cebolletas), picadas

1 rodaja de raíz de jengibre, picada

15 ml / 1 cucharada de vino de arroz o jerez seco

120 ml / 4 fl oz / ½ taza de caldo de pollo

sal y pimienta recién molida

5 ml / 1 cucharadita de aceite de sésamo

Sumerge las chuletas de cerdo en la salsa de soja hasta que estén bien cubiertas. Calentar el aceite y sofreír las chuletas hasta que estén doradas. Retirar y escurrir bien. Coloca el apio en la base de una fuente refractaria poco profunda. Espolvorear con las cebolletas y el jengibre y colocar encima las chuletas de cerdo. Vierta sobre el vino o jerez y caldo y sazone con sal y pimienta. Espolvorea con aceite de sésamo. Asar en horno precalentado a 200 ° C / 400 ° C / marca de gas 6 durante 15 minutos.

Cerdo especiado

Para 4 personas

1 pepino en cubos

sal

450 g / 1 lb de carne de cerdo magra, en cubos

5 ml / 1 cucharadita de sal

45 ml / 3 cucharadas de salsa de soja

30 ml / 2 cucharadas de vino de arroz o jerez seco

30 ml / 2 cucharadas de harina de maíz (maicena)

15 ml / 1 cucharada de azúcar morena

60 ml / 4 cucharadas de aceite de cacahuete

1 rodaja de raíz de jengibre, picada

1 diente de ajo picado

1 guindilla roja, sin semillas y picada

60 ml / 4 cucharadas de caldo de pollo

Espolvorear el pepino con sal y dejar a un lado. Mezclar el cerdo, la sal, 15 ml / 1 cucharada de salsa de soja, 15 ml / 1 cucharada de vino o jerez, 15 ml / 1 cucharada de harina de maíz, el azúcar morena y 15 ml / 1 cucharada de aceite. Deje reposar durante 30 minutos y luego retire la carne del adobo. Calentar el aceite restante y sofreír el cerdo hasta que esté ligeramente dorado. Agrega el jengibre, el ajo y la guindilla y sofríe durante 2 minutos. Agrega el pepino y sofríe durante 2 minutos. Mezcle el caldo y la salsa de soja restante, el vino o el jerez y la harina de maíz con la marinada. Agregue esto a la sartén y deje que hierva, revolviendo. Cocine a fuego lento, revolviendo, hasta que la salsa se aclare y espese y continúe cocinando a fuego lento hasta que la carne esté bien cocida.

Rebanadas de cerdo resbaladizas

Para 4 personas

225 g / 8 oz de carne de cerdo magra, rebanada

2 claras de huevo

15 ml / 1 cucharada de harina de maíz (maicena)

45 ml / 3 cucharadas de aceite de maní (maní)

50 g / 2 oz de brotes de bambú, en rodajas

6 cebolletas (cebolletas), picadas

2,5 ml / ½ cucharadita de sal

15 ml / 1 cucharada de vino de arroz o jerez seco

150 ml / ¼ pt / generosa ½ taza de caldo de pollo

Mezcle el cerdo con las claras de huevo y la maicena hasta que esté bien cubierto. Calentar el aceite y sofreír el cerdo hasta que esté ligeramente dorado y luego retirarlo de la sartén. Agrega los brotes de bambú y las cebolletas y sofríe durante 2 minutos. Regrese el cerdo a la sartén con la sal, el vino o el jerez y el caldo de pollo. Lleve a ebullición y cocine a fuego lento, revolviendo durante 4 minutos hasta que la carne de cerdo esté cocida.

Cerdo con Espinacas y Zanahorias

Para 4 personas

225 g / 8 oz de carne de cerdo magra

2 zanahorias, cortadas en tiras

225 g / 8 oz de espinacas

45 ml / 3 cucharadas de aceite de maní (maní)

1 cebolla tierna (cebolleta), finamente picada

15 ml / 1 cucharada de salsa de soja

2,5 ml / ½ cucharadita de sal

10 ml / 2 cucharaditas de harina de maíz (maicena)

30 ml / 2 cucharadas de agua

Cortar el cerdo en rodajas finas a contrapelo y luego cortarlo en tiras. Hierva las zanahorias durante unos 3 minutos y luego escúrralas. Corta a la mitad las hojas de espinaca. Calentar el aceite y sofreír la cebolleta hasta que esté transparente. Agrega el cerdo y sofríe hasta que esté ligeramente dorado. Agrega las zanahorias y la salsa de soja y sofríe durante 1 minuto. Agrega la sal y las espinacas y sofríe durante unos 30 segundos hasta que comience a ablandarse. Mezcle la harina de maíz y el agua hasta obtener una pasta, revuélvala con la salsa y saltee hasta que se aclare y sirva de inmediato.

Cerdo al vapor

Para 4 personas

450 g / 1 lb de carne de cerdo magra, en cubos

120 ml / 4 fl oz / ½ taza de salsa de soja

120 ml / 4 fl oz / ½ taza de vino de arroz o jerez seco

15 ml / 1 cucharada de azúcar morena

Mezcle todos los ingredientes y colóquelos en un recipiente resistente al calor. Cocine al vapor en una rejilla sobre agua hirviendo durante aproximadamente 1½ horas hasta que esté bien cocido.

Cerdo salteado

Para 4 personas

25 g / 1 oz de champiñones chinos secos

15 ml / 1 cucharada de aceite de cacahuete

450 g / 1 lb de carne de cerdo magra, rebanada

1 pimiento verde cortado en cubitos

15 ml / 1 cucharada de salsa de soja

15 ml / 1 cucharada de vino de arroz o jerez seco

5 ml / 1 cucharadita de sal

5 ml / 1 cucharadita de aceite de sésamo

Remojar los champiñones en agua tibia durante 30 minutos y luego escurrir. Deseche los tallos y corte las tapas. Calentar el aceite y sofreír el cerdo hasta que esté ligeramente dorado. Agrega el pimiento y sofríe durante 1 minuto. Agrega los champiñones, la salsa de soja, el vino o jerez y la sal y sofríe unos minutos hasta que la carne esté cocida. Agrega el aceite de sésamo antes de servir.

Carne de cerdo con batatas

Para 4 personas

aceite para freír

2 batatas grandes, en rodajas

30 ml / 2 cucharadas de aceite de cacahuete

1 rodaja de raíz de jengibre, en rodajas

1 cebolla en rodajas

450 g / 1 lb de carne de cerdo magra, en cubos

15 ml / 1 cucharada de salsa de soja

2,5 ml / ½ cucharadita de sal

pimienta recién molida

250 ml / 8 fl oz / 1 taza de caldo de pollo

30 ml / 2 cucharadas de curry en polvo

Calentar el aceite y sofreír las batatas hasta que estén doradas. Retirar de la sartén y escurrir bien. Calentar el aceite de cacahuete y sofreír el jengibre y la cebolla hasta que estén ligeramente dorados. Agrega el cerdo y sofríe hasta que esté ligeramente dorado. Agregue la salsa de soja, la sal y una pizca de pimienta, luego agregue el caldo y el curry en polvo, lleve a ebullición y cocine a fuego lento, revolviendo durante 1 minuto. Agregue las papas fritas, tape y cocine a fuego lento durante 30 minutos hasta que el cerdo esté cocido.

Cerdo agridulce

Para 4 personas

450 g / 1 lb de carne de cerdo magra, en cubos

15 ml / 1 cucharada de vino de arroz o jerez seco

15 ml / 1 cucharada de aceite de cacahuete

5 ml / 1 cucharadita de curry en polvo

1 huevo batido

sal

100 g / 4 oz de harina de maíz (maicena)

aceite para freír

1 diente de ajo machacado

75 g / 3 oz / ½ taza de azúcar

50 g / 2 oz de salsa de tomate (salsa de tomate)

5 ml / 1 cucharadita de vinagre de vino

5 ml / 1 cucharadita de aceite de sésamo

Mezclar el cerdo con el vino o jerez, aceite, curry en polvo, huevo y un poco de sal. Agrega la harina de maíz hasta que la carne de cerdo esté cubierta con la masa. Calentar el aceite hasta que esté humeante y luego agregar los cubos de cerdo unas cuantas veces. Freír durante unos 3 minutos, escurrir y reservar. Recalentar el aceite y volver a freír los cubos durante unos 2 minutos. Retirar y escurrir. Caliente el ajo, el azúcar, la salsa de tomate y el vinagre de vino, revolviendo hasta que el azúcar se disuelva. Lleve a ebullición, luego agregue los cubos de cerdo y revuelva bien. Agregue el aceite de sésamo y sirva.

Cerdo salado

Para 4 personas

30 ml / 2 cucharadas de aceite de cacahuete

450 g / 1 lb de carne de cerdo magra, en cubos

3 cebolletas (cebolletas), en rodajas

2 dientes de ajo machacados

1 rodaja de raíz de jengibre, picada

250 ml / 8 fl oz / 1 taza de salsa de soja

30 ml / 2 cucharadas de vino de arroz o jerez seco

30 ml / 2 cucharadas de azúcar morena

5 ml / 1 cucharadita de sal

600 ml / 1 pt / 2½ tazas de agua

Calentar el aceite y sofreír el cerdo hasta que se dore. Escurrir el exceso de aceite, añadir las cebolletas, el ajo y el jengibre y freír durante 2 minutos. Agregue la salsa de soja, el vino o el jerez, el azúcar y la sal y revuelva bien. Agrega el agua, lleva a ebullición, tapa y cocina a fuego lento durante 1 hora.

Cerdo con Tofu

Para 4 personas

450 g / 1 libra de carne de cerdo magra

45 ml / 3 cucharadas de aceite de maní (maní)

1 cebolla en rodajas

1 diente de ajo machacado

225 g / 8 oz de tofu, en cubos

375 ml / 13 fl oz / 1½ tazas de caldo de pollo

15 ml / 1 cucharada de azúcar morena

60 ml / 4 cucharadas de salsa de soja

2,5 ml / ½ cucharadita de sal

Coloca el cerdo en una cacerola y cúbrelo con agua. Lleve a ebullición y luego cocine a fuego lento durante 5 minutos. Escurrir y dejar enfriar y luego cortar en cubos.

Calentar el aceite y sofreír la cebolla y el ajo hasta que estén ligeramente dorados. Agrega el cerdo y sofríe hasta que esté ligeramente dorado. Agregue el tofu y revuelva suavemente hasta que esté cubierto de aceite. Agrega el caldo, el azúcar, la salsa de soja y la sal, lleva a ebullición, tapa y cocina a fuego lento durante unos 40 minutos hasta que la carne de cerdo esté tierna.

Cerdo frito

Para 4 personas

225 g / 8 oz de filete de cerdo, en cubos

1 clara de huevo

30 ml / 2 cucharadas de vino de arroz o jerez seco

sal

225 g / 8 oz de harina de maíz (maicena)

aceite para freír

Mezclar el cerdo con la clara de huevo, el vino o el jerez y un poco de sal. Trabaje gradualmente en suficiente harina de maíz para hacer una masa espesa. Calentar el aceite y freír el cerdo hasta que esté dorado y crujiente por fuera y tierno por dentro.

Cerdo cocido dos veces

Para 4 personas

225 g / 8 oz de carne de cerdo magra

45 ml / 3 cucharadas de aceite de maní (maní)

2 pimientos verdes, cortados en trozos

2 dientes de ajo picados

2 cebolletas (cebolletas), en rodajas

15 ml / 1 cucharada de salsa picante de frijoles

15 ml / 1 cucharada de caldo de pollo

5 ml / 1 cucharadita de azúcar

Coloque el trozo de cerdo en una sartén, cubra con agua, hierva y cocine a fuego lento durante 20 minutos hasta que esté bien cocido. Retirar y escurrir y dejar enfriar. Cortar en rodajas finas.

Calentar el aceite y sofreír el cerdo hasta que esté ligeramente dorado. Agrega los pimientos, el ajo y las cebolletas y sofríe durante 2 minutos. Retirar de la sartén. Agregue la salsa de frijoles, el caldo y el azúcar a la sartén y cocine a fuego lento, revolviendo, durante 2 minutos. Regrese la carne de cerdo y los pimientos y saltee hasta que estén bien calientes. Sirva de una vez.

Cerdo con Verduras

Para 4 personas

2 dientes de ajo machacados

5 ml / 1 cucharadita de sal

2,5 ml / ½ cucharadita de pimienta recién molida

30 ml / 2 cucharadas de aceite de cacahuete

30 ml / 2 cucharadas de salsa de soja

225 g / 8 oz de floretes de brócoli

200 g / 7 oz de cogollos de coliflor

1 pimiento rojo cortado en cubitos

1 cebolla picada

2 naranjas, peladas y cortadas en cubitos

1 pieza de jengibre de tallo, picado

30 ml / 2 cucharadas de harina de maíz (maicena)

300 ml / ½ pt / 1¼ tazas de agua

20 ml / 2 cucharadas de vinagre de vino

15 ml / 1 cucharada de miel

pizca de jengibre molido

2,5 ml / ½ cucharadita de comino

Triturar el ajo, la sal y la pimienta en la carne. Calentar el aceite y sofreír la carne hasta que esté ligeramente dorada. Retirar de la sartén. Agregue la salsa de soja y las verduras a la sartén y saltee hasta que estén tiernas pero aún crujientes. Agrega las naranjas y el jengibre. Mezcle la harina de maíz y el agua y revuélvala en la sartén con el vinagre de vino, la miel, el jengibre y el comino. Lleve a ebullición y cocine a fuego lento, revolviendo, durante 2 minutos. Regrese la carne de cerdo a la sartén y caliente antes de servir.

Cerdo con Nueces

Para 4 personas

50 g / 2 oz / ½ taza de nueces

225 g / 8 oz de carne de cerdo magra, cortada en tiras

30 ml / 2 cucharadas de harina común (para todo uso)

30 ml / 2 cucharadas de azúcar morena

30 ml / 2 cucharadas de salsa de soja

aceite para freír

15 ml / 1 cucharada de aceite de cacahuete

Escaldar las nueces en agua hirviendo durante 2 minutos y luego escurrir. Mezclar el cerdo con la harina, el azúcar y 15 ml / 1 cucharada de salsa de soja hasta que esté bien cubierto. Calentar el aceite y sofreír el cerdo hasta que esté crujiente y dorado. Escurrir sobre papel de cocina. Calentar el aceite de cacahuete y sofreír las nueces hasta que estén doradas. Agregue la carne de cerdo a la sartén, espolvoree con la salsa de soja restante y saltee hasta que esté bien caliente.

Wonton de cerdo

Para 4 personas

450 g / 1 libra de carne de cerdo picada (molida)

1 cebolla tierna (cebolleta), picada

225 g / 8 oz de verduras mixtas, picadas

30 ml / 2 cucharadas de salsa de soja

5 ml / 1 cucharadita de sal

40 pieles de wonton

aceite para freír

Calentar una sartén y sofreír el cerdo y la cebolleta hasta que estén ligeramente dorados. Retire del fuego y agregue las verduras, la salsa de soja y la sal.

Para doblar los wonton, sostén la piel en la palma de tu mano izquierda y coloca un poco de relleno en el centro. Humedece los bordes con huevo y dobla la piel en triángulo, sellando los bordes. Humedece las esquinas con huevo y retuerce.

Calentar el aceite y freír los wonton de a pocos hasta que se doren. Escurrir bien antes de servir.

Para 4 personas

45 ml / 3 cucharadas de aceite de maní (maní)

1 diente de ajo machacado

1 cebolla tierna (cebolleta), picada

1 rodaja de raíz de jengibre, picada

225 g / 8 oz de carne de cerdo magra, cortada en tiras

100 g / 4 oz de castañas de agua, en rodajas finas

45 ml / 3 cucharadas de salsa de soja

15 ml / 1 cucharada de vino de arroz o jerez seco

5 ml / 1 cucharadita de harina de maíz (maicena)

Calentar el aceite y sofreír el ajo, la cebolleta y el jengibre hasta que estén ligeramente dorados. Agrega la carne de cerdo y sofríe durante 10 minutos hasta que se dore. Agrega las castañas de agua y sofríe durante 3 minutos. Agrega el resto de los ingredientes y sofríe durante 3 minutos.

Wonton de cerdo y gambas

Para 4 personas

225 g / 8 oz de carne de cerdo picada (molida)

2 cebolletas (cebolletas), picadas

100 g / 4 oz de verduras mixtas, picadas

100 g de champiñones picados

225 g / 8 oz de gambas peladas, picadas

15 ml / 1 cucharada de salsa de soja

2,5 ml / ½ cucharadita de sal

40 pieles de wonton

aceite para freír

Calentar una sartén y freír el cerdo y las cebolletas hasta que estén ligeramente doradas. Remueva con los ingredientes restantes.

Para doblar los wonton, sostén la piel en la palma de tu mano izquierda y coloca un poco de relleno en el centro. Humedece los bordes con huevo y dobla la piel en triángulo, sellando los bordes. Humedece las esquinas con huevo y retuerce.

Calentar el aceite y freír los wonton de a pocos hasta que se doren. Escurrir bien antes de servir.

Albóndigas picadas al vapor

Para 4 personas

2 dientes de ajo machacados

2,5 ml / ½ cucharadita de sal

450 g / 1 libra de carne de cerdo picada (molida)

1 cebolla picada

1 pimiento rojo picado

1 pimiento verde picado

2 piezas de jengibre de tallo, picado

5 ml / 1 cucharadita de curry en polvo

5 ml / 1 cucharadita de pimentón

1 huevo batido

45 ml / 3 cucharadas de harina de maíz (maicena)

50 g / 2 oz de arroz de grano corto

sal y pimienta recién molida

60 ml / 4 cucharadas de cebollino picado

Mezcle el ajo, la sal, el cerdo, la cebolla, los pimientos, el jengibre, el curry en polvo y el pimentón. Incorpora el huevo a la mezcla con la maicena y el arroz. Sazone con sal y pimienta y luego mezcle las cebolletas. Con las manos mojadas, forma bolitas con la mezcla. Coloque estos en una canasta de vapor, cubra y cocine sobre agua hirviendo suavemente durante 20 minutos hasta que estén cocidos.

Costillitas con Salsa de Frijoles Negros

Para 4 personas

900 g / 2 lb de costillas de cerdo

2 dientes de ajo machacados

2 cebolletas (cebolletas), picadas

30 ml / 2 cucharadas de salsa de frijoles negros

30 ml / 2 cucharadas de vino de arroz o jerez seco

15 ml / 1 cucharada de agua

30 ml / 2 cucharadas de salsa de soja

15 ml / 1 cucharada de harina de maíz (maicena)

5 ml / 1 cucharadita de azúcar

120 ml / 4 fl oz ½ taza de agua

30 ml / 2 cucharadas de aceite

2,5 ml / ½ cucharadita de sal

120 ml / 4 fl oz / ½ taza de caldo de pollo

Cortar las costillas de cerdo en trozos de 2,5 cm. Mezcle el ajo, las cebolletas, la salsa de frijoles negros, el vino o jerez, el agua y 15 ml / 1 cucharada de salsa de soja. Mezcle el resto de la salsa de soja con la harina de maíz, el azúcar y el agua. Calentar el aceite y la sal y sofreír las costillas de cerdo hasta que estén doradas. Escurre el aceite. Agrega la mezcla de ajo y sofríe durante 2 minutos. Agrega el caldo, lleva a ebullición, tapa y cocina a fuego lento durante 4 minutos. Agregue la mezcla de harina de maíz y cocine a fuego lento, revolviendo, hasta que la salsa se aclare y espese.

Para 4 personas

3 dientes de ajo machacados

75 ml / 5 cucharadas de salsa de soja

60 ml / 4 cucharadas de salsa hoisin

60 ml / 4 cucharadas de vino de arroz o jerez seco

45 ml / 3 cucharadas de azúcar morena

30 ml / 2 cucharadas de puré de tomate (pasta)

900 g / 2 lb de costillas de cerdo

15 ml / 1 cucharada de miel

Mezclar el ajo, la salsa de soja, la salsa hoisin, el vino o jerez, el azúcar moreno y el puré de tomate, verter sobre las costillas, tapar y dejar macerar durante la noche.

Escurrir las costillas y colocarlas sobre una rejilla en una fuente para asar con un poco de agua debajo. Ase en horno precalentado a 180 ° C / 350 ° F / marca de gas 4 durante 45 minutos, rociando ocasionalmente con la marinada, reservando 30 ml / 2 cucharadas de marinada. Mezcle la marinada reservada con la miel y cepille las costillas. Asar a la parrilla o asar (asar) bajo una parrilla caliente durante unos 10 minutos.

Costillas de arce asadas

Para 4 personas

900 g / 2 lb de costillas de cerdo

60 ml / 4 cucharadas de jarabe de arce

5 ml / 1 cucharadita de sal

5 ml / 1 cucharadita de azúcar

45 ml / 3 cucharadas de salsa de soja

15 ml / 1 cucharada de vino de arroz o jerez seco

1 diente de ajo machacado

Picar las costillas de cerdo en trozos de 5 cm / 2 y colocar en un bol. Mezcle todos los ingredientes, agregue las costillas y revuelva bien. Tapar y dejar macerar durante la noche. Ase (asar) o asar a la parrilla a fuego medio durante unos 30 minutos.

Costillas de cerdo fritas

Para 4 personas

900 g / 2 lb de costillas de cerdo

120 ml / 4 fl oz / ½ taza de salsa de tomate (salsa de tomate)

120 ml / 4 fl oz / ½ taza de vinagre de vino

60 ml / 4 cucharadas de chutney de mango

45 ml / 3 cucharadas de vino de arroz o jerez seco

2 dientes de ajo picados

5 ml / 1 cucharadita de sal

45 ml / 3 cucharadas de salsa de soja

30 ml / 2 cucharadas de miel

15 ml / 1 cucharada de curry suave en polvo

15 ml / 1 cucharada de pimentón

aceite para freír

60 ml / 4 cucharadas de cebollino picado

Coloque las costillas de cerdo en un bol. Mezclar todos los ingredientes excepto el aceite y el cebollino, verter sobre las costillas, tapar y dejar macerar al menos 1 hora. Calentar el aceite y sofreír las costillas hasta que estén crujientes. Sirve espolvoreado con cebollino.

Costillas con Puerros

Para 4 personas

450 g / 1 libra de costillas de cerdo

aceite para freír

250 ml / 8 fl oz / 1 taza de caldo

30 ml / 2 cucharadas de salsa de tomate (salsa de tomate)

2,5 ml / ½ cucharadita de sal

2,5 ml / ½ cucharadita de azúcar

2 puerros, cortados en trozos

6 cebolletas (cebolletas), cortadas en trozos

50 g / 2 oz de floretes de brócoli

5 ml / 1 cucharadita de aceite de sésamo

Picar las costillas de cerdo en trozos de 5 cm / 2. Calentar el aceite y sofreír las costillas hasta que empiecen a dorarse. Retirarlos de la sartén y verter todos menos 30 ml / 2 cucharadas de aceite. Agregue el caldo, la salsa de tomate, la sal y el azúcar, lleve a ebullición y cocine a fuego lento durante 1 minuto. Regrese las costillas a la sartén y cocine a fuego lento durante unos 20 minutos hasta que estén tiernas.

Mientras tanto, calentar otros 30 ml / 2 cucharadas de aceite y freír los puerros, las cebolletas y el brócoli durante unos 5 minutos. Espolvoree con aceite de sésamo y coloque alrededor de un plato para servir caliente. Vierta las costillas y la salsa en el centro y sirva.

Costillas con Champiñones

Para 4 a 6 porciones

6 hongos chinos secos

900 g / 2 lb de costillas de cerdo

2 dientes de anís estrellado

45 ml / 3 cucharadas de salsa de soja

5 ml / 1 cucharadita de sal

15 ml / 1 cucharada de harina de maíz (maicena)

Remojar los champiñones en agua tibia durante 30 minutos y luego escurrir. Desechar los tallos y cortar las tapas. Picar las costillas de cerdo en trozos de 5 cm / 2. Ponga a hervir una cacerola con agua, agregue las costillas y cocine a fuego lento durante 15 minutos. Escurrir bien. Regrese las costillas a la sartén y cúbralas con agua fría. Agrega los champiñones, el anís estrellado, la salsa de soja y la sal. Llevar a ebullición, tapar y cocinar a fuego lento durante unos 45 minutos hasta que la carne esté tierna. Mezcle la harina de maíz con un poco de agua fría, revuélvala en la sartén y cocine a fuego lento, revolviendo, hasta que la salsa se aclare y espese.

Costillas con Naranja

Para 4 personas

900 g / 2 lb de costillas de cerdo

5 ml / 1 cucharadita de queso rallado

5 ml / 1 cucharadita de harina de maíz (maicena)

45 ml / 3 cucharadas de vino de arroz o jerez seco

sal

aceite para freír

15 ml / 1 cucharada de agua

2,5 ml / ½ cucharadita de azúcar

15 ml / 1 cucharada de puré de tomate (pasta)

2,5 ml / ½ cucharadita de salsa de chile

cáscara rallada de 1 naranja

1 naranja en rodajas

Picar las costillas de cerdo en trozos y mezclar con el queso, la maicena, 5 ml / 1 cucharadita de vino o jerez y una pizca de sal. Dejar macerar durante 30 minutos. Calentar el aceite y sofreír las costillas durante unos 3 minutos hasta que se doren. Calentar 15 ml / 1 cucharada de aceite en un wok, agregar el agua, el azúcar, el puré de tomate, la salsa de chile, la ralladura de naranja y el resto del vino o jerez y remover a fuego lento durante 2 minutos. Agregue el cerdo y revuelva hasta que esté bien cubierto.

Transfiera a un plato para servir caliente y sirva adornado con rodajas de naranja.

Costillas de Piña

Para 4 personas

900 g / 2 lb de costillas de cerdo

600 ml / 1 pt / 2½ tazas de agua

30 ml / 2 cucharadas de aceite de cacahuete

2 dientes de ajo finamente picados

200 g / 7 oz de trozos de piña enlatados en jugo de frutas

120 ml / 4 fl oz / ½ taza de caldo de pollo

60 ml / 4 cucharadas de vinagre de vino

50 g / 2 oz / ¼ taza de azúcar morena

15 ml / 1 cucharada de salsa de soja

15 ml / 1 cucharada de harina de maíz (maicena)

3 cebolletas (cebolletas), picadas

Coloque el cerdo y el agua en una olla, lleve a ebullición, tape y cocine a fuego lento durante 20 minutos. Escurrir bien.

Calentar el aceite y sofreír los ajos hasta que estén ligeramente dorados. Agregue las costillas y saltee hasta que estén bien cubiertas con el aceite. Escurre los trozos de piña y agrega 120 ml / 4 fl oz / ½ taza de jugo a la sartén con el caldo, el vinagre de vino, el azúcar y la salsa de soja. Llevar a ebullición, tapar y cocinar a fuego lento durante 10 minutos. Agrega la piña escurrida. Mezcle la harina de maíz con un poco de agua, revuélvala con la salsa y cocine a fuego lento, revolviendo, hasta que la salsa se aclare y espese. Sirva espolvoreado con cebolletas.

Costillas de langostinos crujientes

Para 4 personas

900 g / 2 lb de costillas de cerdo

450 g / 1 libra de gambas peladas

5 ml / 1 cucharadita de azúcar

sal y pimienta recién molida

30 ml / 2 cucharadas de harina común (para todo uso)

1 huevo, ligeramente batido

100 g / 4 oz de pan rallado

aceite para freír

Cortar las costillas de cerdo en trozos de 5 cm / 2. Cortar un poco de carne y picarla con las gambas, el azúcar, la sal y la pimienta. Agregue la harina y suficiente huevo para que la mezcla quede pegajosa. Presione alrededor de los trozos de costilla de cerdo y luego espolvoree con pan rallado. Calentar el aceite y sofreír las costillas hasta que salgan a la superficie. Escurrir bien y servir caliente.

Para 4 personas

900 g / 2 lb de costillas de cerdo

450 ml / ¾ pt / 2 tazas de agua

60 ml / 4 cucharadas de salsa de soja

5 ml / 1 cucharadita de sal

30 ml / 2 cucharadas de vino de arroz

5 ml / 1 cucharadita de azúcar

Cortar las costillas en trozos de 2,5 cm / 1. Colocar en una olla con el agua, la salsa de soja y la sal, llevar a ebullición, tapar y cocinar a fuego lento durante 1 hora. Escurrir bien. Calentar una sartén y añadir las costillas, el vino de arroz y el azúcar. Sofreír a fuego alto hasta que el líquido se evapore.

Costillas con Ajonjolí

Para 4 personas

900 g / 2 lb de costillas de cerdo

1 huevo

30 ml / 2 cucharadas de harina común (para todo uso)

5 ml / 1 cucharadita de harina de patata

45 ml / 3 cucharadas de agua

aceite para freír

30 ml / 2 cucharadas de aceite de cacahuete

30 ml / 2 cucharadas de salsa de tomate (salsa de tomate)

30 ml / 2 cucharadas de azúcar morena

10 ml / 2 cucharaditas de vinagre de vino

45 ml / 3 cucharadas de semillas de sésamo

4 hojas de lechuga

Picar las costillas de cerdo en trozos de 10 cm / 4 y colocar en un bol. Mezclar el huevo con la harina, la harina de patata y el agua, incorporar a las costillas y dejar reposar 4 horas.

Calentar el aceite y sofreír las costillas de cerdo hasta que estén doradas, retirar y escurrir. Calentar el aceite y freír la salsa de tomate, el azúcar morena, el vinagre de vino durante unos minutos. Agregue las costillas de cerdo y saltee hasta que estén completamente cubiertas. Espolvorear con semillas de sésamo y sofreír durante 1 minuto. Coloque las hojas de lechuga en un plato para servir caliente, cubra con las costillas y sirva.

Dulces y Suaves Spareribs

Para 4 personas

900 g / 2 lb de costillas de cerdo

600 ml / 1 pt / 2½ tazas de agua

30 ml / 2 cucharadas de aceite de cacahuete

2 dientes de ajo machacados

5 ml / 1 cucharadita de sal

100 g / 4 oz / ½ taza de azúcar morena

75 ml / 5 cucharadas de caldo de pollo

60 ml / 4 cucharadas de vinagre de vino

100 g / 4 oz de trozos de piña enlatada en almíbar

15 ml / 1 cucharada de puré de tomate (pasta)

15 ml / 1 cucharada de salsa de soja

15 ml / 1 cucharada de harina de maíz (maicena)

30 ml / 2 cucharadas de coco desecado

Coloque el cerdo y el agua en una olla, lleve a ebullición, tape y cocine a fuego lento durante 20 minutos. Escurrir bien.

Calentar el aceite y sofreír las costillas con el ajo y la sal hasta que se doren. Añadir el azúcar, el caldo y el vinagre de vino y llevar a ebullición. Escurrir la piña y añadir 30 ml / 2 cucharadas de almíbar a la sartén con el puré de tomate, la salsa de soja y la maicena. Revuelva bien y cocine a fuego lento, revolviendo, hasta que la salsa se aclare y espese. Agregue la piña, cocine a fuego lento durante 3 minutos y sirva espolvoreado con coco.

Costillas Salteadas

Para 4 personas

900 g / 2 lb de costillas de cerdo

1 huevo batido

5 ml / 1 cucharadita de salsa de soja

5 ml / 1 cucharadita de sal

10 ml / 2 cucharaditas de harina de maíz (maicena)

10 ml / 2 cucharaditas de azúcar

60 ml / 4 cucharadas de aceite de cacahuete

250 ml / 8 fl oz / 1 taza de vinagre de vino

250 ml / 8 fl oz / 1 taza de agua

250 ml / 8 fl oz / 1 taza de vino de arroz o jerez seco

Coloque las costillas de cerdo en un bol. Mezclar el huevo con la salsa de soja, la sal, la mitad de la maicena y la mitad del azúcar, agregar a las costillas y remover bien. Calentar el aceite y sofreír las costillas de cerdo hasta que se doren. Agregue el resto de los ingredientes, lleve a ebullición y cocine a fuego lento hasta que el líquido casi se haya evaporado.

Para 4 personas

900 g / 2 lb de costillas de cerdo

75 ml / 5 cucharadas de salsa de soja

30 ml / 2 cucharadas de vino de arroz o jerez seco

2 huevos batidos

45 ml / 3 cucharadas de harina de maíz (maicena)

aceite para freír

45 ml / 3 cucharadas de aceite de maní (maní)

1 cebolla, finamente rebanada

250 ml / 8 fl oz / 1 taza de caldo de pollo

60 ml / 4 cucharadas de salsa de tomate (salsa de tomate)

10 ml / 2 cucharaditas de azúcar morena

Cortar las costillas de cerdo en trozos de 2,5 cm. Mezclar con 60 ml / 4 cucharadas de salsa de soja y el vino o jerez y dejar macerar durante 1 hora, revolviendo de vez en cuando. Escurrir, desechar la marinada. Cubra las costillas con huevo y luego con harina de maíz. Calentar el aceite y sofreír las costillas, unas pocas a la vez, hasta que estén doradas. Escurrir bien. Calentar el aceite de maní (maní) y freír la cebolla hasta que esté transparente. Agregue el caldo, la salsa de soja restante, la salsa de tomate y el azúcar morena y cocine a fuego lento durante 1 minuto, revolviendo. Agregue las costillas y cocine a fuego lento durante 10 minutos.

Cerdo asado a la parrilla

Para 4 a 6 porciones

1.25 kg / 3 lb paleta de cerdo deshuesada

2 dientes de ajo machacados

2 cebolletas (cebolletas), picadas

250 ml / 8 fl oz / 1 taza de salsa de soja

120 ml / 4 fl oz / ½ taza de vino de arroz o jerez seco

100 g / 4 oz / ½ taza de azúcar morena

5 ml / 1 cucharadita de sal

Coloca la carne de cerdo en un bol. Mezclar el resto de los ingredientes, verter sobre la carne de cerdo, tapar y dejar macerar durante 3 horas. Transfiera la carne de cerdo y la marinada a una fuente para asar y ase en un horno precalentado a 200 ° C / 400 ° F / marca de gas 6 durante 10 minutos. Reduzca la temperatura a 160 ° C / 325 ° F / marca de gas 3 durante 1¾ horas hasta que la carne de cerdo esté cocida.

Cerdo Frío con Mostaza

Para 4 personas

1 kg / 2 lb de cerdo asado deshuesado

250 ml / 8 fl oz / 1 taza de salsa de soja

120 ml / 4 fl oz / ½ taza de vino de arroz o jerez seco

100 g / 4 oz / ½ taza de azúcar morena

3 cebolletas (cebolletas), picadas

5 ml / 1 cucharadita de sal

30 ml / 2 cucharadas de mostaza en polvo

Coloca la carne de cerdo en un bol. Mezclar todos los ingredientes restantes excepto la mostaza y verter sobre el cerdo. Deje marinar durante al menos 2 horas, rociando con frecuencia. Forre una fuente para asar con papel de aluminio y coloque la carne de cerdo sobre una rejilla en la fuente. Ase en un horno precalentado a 200 ° C / 400 ° F / marca de gas 6 durante 10 minutos y luego reduzca la temperatura a 160 ° C / 325 ° F / marca de gas 3 durante 1¾ horas más hasta que la carne de cerdo esté tierna. Dejar enfriar y luego enfriar en el frigorífico. Cortar en rodajas muy finas. Mezcle el polvo de mostaza con suficiente agua para hacer una pasta cremosa para servir con la carne de cerdo.

Cerdo asado chino

Para 6

1.25 kg / 3 lb de carne de cerdo, rebanada gruesa

2 dientes de ajo finamente picados

30 ml / 2 cucharadas de vino de arroz o jerez seco

15 ml / 1 cucharada de azúcar morena

15 ml / 1 cucharada de miel

90 ml / 6 cucharadas de salsa de soja

2,5 ml / ½ cucharadita de polvo de cinco especias

Coloca la carne de cerdo en un plato poco profundo. Mezcle los ingredientes restantes, vierta sobre la carne de cerdo, cubra y deje marinar en el refrigerador durante la noche, volteando y rociando ocasionalmente.

Colocar las lonchas de cerdo sobre una rejilla en una fuente para asar llena de un poco de agua y rociar bien con la marinada. Ase en un horno precalentado a 180 ° C / 350 ° F / marca de gas 5 durante aproximadamente 1 hora, rociando ocasionalmente, hasta que la carne de cerdo esté cocida.

Sirve de 6 a 8

30 ml / 2 cucharadas de aceite de cacahuete

1,25 kg / 3 lb de lomo de cerdo

250 ml / 8 fl oz / 1 taza de caldo de pollo

15 ml / 1 cucharada de azúcar morena

60 ml / 4 cucharadas de salsa de soja

900 g / 2 lb de espinacas

Calentar el aceite y dorar el cerdo por todos lados. Elimina la mayor parte de la grasa. Agregue el caldo, el azúcar y la salsa de soja, lleve a ebullición, tape y cocine a fuego lento durante aproximadamente 2 horas hasta que el cerdo esté cocido. Retire la carne de la sartén y déjela enfriar un poco, luego córtela. Agregue las espinacas a la sartén y cocine a fuego lento, revolviendo suavemente, hasta que se ablanden. Escurre las espinacas y colócalas en un plato para servir caliente. Cubra con las rodajas de cerdo y sirva.

Bolas de cerdo fritas

Para 4 personas

450 g / 1 libra de carne de cerdo picada (molida)
1 rodaja de raíz de jengibre, picada
15 ml / 1 cucharada de harina de maíz (maicena)
15 ml / 1 cucharada de agua
2,5 ml / ½ cucharadita de sal
10 ml / 2 cucharaditas de salsa de soja
aceite para freír

Mezclar el cerdo y el jengibre. Mezcle la harina de maíz, el agua, la sal y la salsa de soja, luego agregue la mezcla a la carne de cerdo y mezcle bien. Forme bolas del tamaño de una nuez. Calentar el aceite y freír las albóndigas hasta que suban a la superficie del aceite. Retirar del aceite y recalentar. Regrese la carne de cerdo a la sartén y fría por 1 minuto. Escurrir bien.

Rollitos de huevo de cerdo y gambas

Para 4 personas

30 ml / 2 cucharadas de aceite de cacahuete

225 g / 8 oz de carne de cerdo picada (molida)

225 g / 8 oz de gambas

100 g / 4 oz de hojas chinas, ralladas

100 g / 4 oz de brotes de bambú, cortados en tiras

100 g / 4 oz de castañas de agua, cortadas en tiras

10 ml / 2 cucharaditas de salsa de soja

5 ml / 1 cucharadita de sal

5 ml / 1 cucharadita de azúcar

3 cebolletas (cebolletas), finamente picadas

8 cáscaras de rollo de huevo

aceite para freír

Calentar el aceite y sofreír el cerdo hasta que esté sellado. Agrega las gambas y sofríe durante 1 minuto. Agregue las hojas chinas, los brotes de bambú, las castañas de agua, la salsa de soja, la sal y el azúcar y saltee durante 1 minuto, luego cubra y cocine a fuego lento durante 5 minutos. Agregue las cebolletas, conviértalas en un colador y déjelas escurrir.

Coloque unas cucharadas de la mezcla de relleno en el centro de la piel de cada rollo de huevo, doble la parte inferior, doble los lados y luego enrolle hacia arriba, encerrando el relleno. Selle el borde con un poco de la mezcla de harina y agua y déjelo secar durante 30 minutos. Calentar el aceite y freír los rollitos de huevo durante unos 10 minutos hasta que estén crujientes y dorados. Escurrir bien antes de servir.

Carne de cerdo picada al vapor

Para 4 personas

450 g / 1 libra de carne de cerdo picada (molida)
5 ml / 1 cucharadita de harina de maíz (maicena)
2,5 ml / ½ cucharadita de sal
10 ml / 2 cucharaditas de salsa de soja

Mezclar la carne de cerdo con el resto de los ingredientes y esparcir la mezcla en una fuente refractaria poco profunda. Coloque en una vaporera sobre agua hirviendo y cocine al vapor durante unos 30 minutos hasta que esté cocido. Servir caliente.

Para 4 personas

225 g / 8 oz de carne de cangrejo, en copos

100 g de champiñones picados

100 g / 4 oz de brotes de bambú, picados

5 ml / 1 cucharadita de harina de maíz (maicena)

2,5 ml / ½ cucharadita de sal

225 g / 8 oz de cerdo cocido, rebanado

1 clara de huevo, ligeramente batida

aceite para freír

15 ml / 1 cucharada de perejil de hoja plana fresco picado

Mezclar la carne de cangrejo, los champiñones, los brotes de bambú, la mayor parte de la harina de maíz y la sal. Cortar la carne en cuadrados de 5 cm. Haga sándwiches con la mezcla de carne de cangrejo. Cubrir con la clara de huevo. Calentar el aceite y freír los sándwiches de a poco hasta que se doren. Escurrir bien. Sirve espolvoreado con perejil.

Carne de cerdo con brotes de soja

Para 4 personas

30 ml / 2 cucharadas de aceite de cacahuete

2,5 ml / ½ cucharadita de sal

2 dientes de ajo machacados

450 g / 1 lb de brotes de soja

225 g / 8 oz de cerdo cocido, en cubos

120 ml / 4 fl oz / ½ taza de caldo de pollo

15 ml / 1 cucharada de salsa de soja

15 ml / 1 cucharada de vino de arroz o jerez seco

5 ml / 1 cucharadita de azúcar

15 ml / 1 cucharada de harina de maíz (maicena)

2,5 ml / ½ cucharadita de aceite de sésamo

3 cebolletas (cebolletas), picadas

Calentar el aceite y sofreír la sal y el ajo hasta que estén ligeramente dorados. Agrega los brotes de soja y la carne de cerdo y sofríe durante 2 minutos. Agrega la mitad del caldo, lleva a ebullición, tapa y cocina a fuego lento durante 3 minutos. Mezcle el caldo restante con el resto de los ingredientes, revuelva en la sartén, vuelva a hervir y cocine a fuego lento durante 4 minutos, revolviendo. Sirva espolvoreado con cebolleta.

Para 4 personas

50 g / 2 oz / ¬Ω taza simple (para todo uso)

harina

2,5 ml / ¬Ω cucharadita de sal

1 huevo, ligeramente batido

30 ml / 2 cucharadas de agua

450 g / 1 libra de gambas peladas

aceite para freír

30 ml / 2 cucharadas de aceite de cacahuete

2 rodajas de raíz de jengibre, picadas

30 ml / 2 cucharadas de vinagre de vino

5 ml / 1 cucharadita de azúcar

2,5 ml / ¬Ω cucharadita de sal

15 ml / 1 cucharada de salsa de soja

200 g / 7 oz de lichis enlatados, escurridos

Batir la harina, la sal, el huevo y el agua para hacer una masa, agregando un poco más de agua si es necesario. Mezclar con las gambas hasta que queden bien rebozadas. Calentar el aceite y sofreír las gambas durante unos minutos hasta que estén crujientes y doradas. Escurrir sobre papel de cocina y colocar en un plato para servir caliente. Mientras tanto, calentar el aceite y freír el jengibre durante 1 minuto. Agrega el vinagre de vino, el azúcar, la sal y la salsa de soja. Agregue los lichis y revuelva hasta que estén calientes y cubiertos con salsa. Verter sobre las gambas y servir de una vez.

Langostinos Fritos A La Mandarina

Para 4 personas

60 ml / 4 cucharadas de aceite de cacahuete

1 diente de ajo machacado

1 rodaja de raíz de jengibre, picada

450 g / 1 libra de gambas peladas

30 ml / 2 cucharadas de vino de arroz o jerez seco 30 ml / 2 cucharadas de salsa de soja

15 ml / 1 cucharada de harina de maíz (maicena)

45 ml / 3 cucharadas de agua

Calentar el aceite y sofreír el ajo y el jengibre hasta que estén ligeramente dorados. Agrega las gambas y sofríe durante 1 minuto. Agregue el vino o jerez y revuelva bien. Agrega la salsa de soja, la maicena y el agua y sofríe durante 2 minutos.

Langostinos con Mangetout

Para 4 personas

5 hongos chinos secos

225 g / 8 oz de brotes de soja

60 ml / 4 cucharadas de aceite de cacahuete

5 ml / 1 cucharadita de sal

2 tallos de apio picados

4 cebolletas (cebolletas), picadas

2 dientes de ajo machacados

2 rodajas de raíz de jengibre, picadas

60 ml / 4 cucharadas de agua

15 ml / 1 cucharada de salsa de soja

15 ml / 1 cucharada de vino de arroz o jerez seco

225 g / 8 oz de tirabeques (guisantes)

225 g / 8 oz de gambas peladas

15 ml / 1 cucharada de harina de maíz (maicena)

Remojar los champiñones en agua tibia durante 30 minutos y luego escurrir. Deseche los tallos y corte las tapas. Escaldar los brotes de soja en agua hirviendo durante 5 minutos y escurrir bien. Calentar la mitad del aceite y freír la sal, el apio, las cebolletas y los brotes de soja durante 1 minuto y luego retirarlos de la sartén. Calentar el aceite restante y sofreír el ajo y el jengibre hasta que estén ligeramente dorados. Agrega la mitad del agua, la salsa de soja, el vino o jerez, el tirabeque y las gambas, lleva a ebullición y cocina a fuego lento durante 3 minutos. Mezcle la harina de maíz y el agua restante hasta obtener una pasta, revuelva en la sartén y cocine a fuego lento, revolviendo, hasta que la salsa espese. Regrese las verduras a la sartén, cocine a fuego lento hasta que estén bien calientes. Sirva de una vez.

Langostinos con Hongos Chinos

Para 4 personas

8 hongos chinos secos
45 ml / 3 cucharadas de aceite de maní (maní)
3 rodajas de raíz de jengibre, picada

450 g / 1 libra de gambas peladas

15 ml / 1 cucharada de salsa de soja

5 ml / 1 cucharadita de sal

60 ml / 4 cucharadas de caldo de pescado

Remojar los champiñones en agua tibia durante 30 minutos y luego escurrir. Deseche los tallos y corte las tapas. Calentar la mitad del aceite y freír el jengibre hasta que esté ligeramente dorado. Agregue las gambas, la salsa de soja y la sal y saltee hasta que estén cubiertas de aceite y luego retire de la sartén. Calentar el aceite restante y sofreír los champiñones hasta que estén cubiertos de aceite. Agrega el caldo, lleva a ebullición, tapa y cocina a fuego lento durante 3 minutos. Regrese las gambas a la sartén y revuelva hasta que estén bien calientes.

Salteado de gambas y guisantes

Para 4 personas

450 g / 1 libra de gambas peladas

5 ml / 1 cucharadita de aceite de sésamo

5 ml / 1 cucharadita de sal

30 ml / 2 cucharadas de aceite de cacahuete

1 diente de ajo machacado

1 rodaja de raíz de jengibre, picada

225 g / 8 oz de guisantes escaldados o congelados,

descongelados

4 cebolletas (cebolletas), picadas

30 ml / 2 cucharadas de agua

sal y pimienta

Mezclar las gambas con el aceite de sésamo y la sal. Calentar el aceite y sofreír el ajo y el jengibre durante 1 minuto. Agrega las gambas y sofríe durante 2 minutos. Agrega los guisantes y sofríe durante 1 minuto. Agregue las cebolletas y el agua y sazone con sal y pimienta y un poco más de aceite de sésamo, si lo desea. Caliente, revolviendo con cuidado, antes de servir.

Langostinos con Chutney de Mango

Para 4 personas

12 langostinos

sal y pimienta

jugo de 1 limón

30 ml / 2 cucharadas de harina de maíz (maicena)

1 mango

5 ml / 1 cucharadita de mostaza en polvo

5 ml / 1 cucharadita de miel

30 ml / 2 cucharadas de crema de coco

30 ml / 2 cucharadas de curry suave en polvo

120 ml / 4 fl oz / ¬Ω taza de caldo de pollo

45 ml / 3 cucharadas de aceite de maní (maní)

2 dientes de ajo picados

2 cebolletas (cebolletas), picadas

1 bulbo de hinojo, picado

100 g / 4 oz de chutney de mango

Pelar las gambas, dejando intactas las colas. Espolvoree con sal, pimienta y jugo de limón y luego cubra con la mitad de la harina de maíz. Pele el mango, corte la pulpa del hueso y luego corte la pulpa en dados. Mezclar la mostaza, la miel, la crema de coco, el curry en polvo, el resto de la maicena y el caldo. Calentar la mitad del aceite y sofreír el ajo, las cebolletas y el hinojo durante 2 minutos. Agregue la mezcla de caldo, lleve a ebullición y cocine a fuego lento durante 1 minuto. Agregue los cubos de mango y la salsa picante y caliente suavemente, luego transfiera a un plato para servir tibio. Calentar el aceite restante y sofreír las gambas durante 2 minutos. Acomódalos sobre las verduras y sírvelos de una vez.

Para 4 personas

30 ml / 2 cucharadas de aceite de cacahuete

2 dientes de ajo machacados

1 rodaja de raíz de jengibre, finamente picada

225 g / 8 oz de gambas peladas

4 cebolletas (cebolletas), en rodajas gruesas

120 ml / 4 fl oz / ¬Ω taza de caldo de pollo

5 ml / 1 cucharadita de azúcar morena

5 ml / 1 cucharadita de salsa de soja

5 ml / 1 cucharadita de salsa hoisin

5 ml / 1 cucharadita de salsa tabasco

Calentar el aceite con el ajo y el jengibre y freír hasta que el ajo esté ligeramente dorado. Agrega las gambas y sofríe durante 1 minuto. Agrega las cebolletas y sofríe durante 1 minuto. Agregue los ingredientes restantes, lleve a ebullición, cubra y cocine a fuego lento durante 4 minutos, revolviendo ocasionalmente. Revisa el condimento y agrega un poco más de salsa tabasco si lo prefieres.

Langostinos con Pimientos

Para 4 personas

30 ml / 2 cucharadas de aceite de cacahuete

1 pimiento verde cortado en trozos

450 g / 1 libra de gambas peladas

10 ml / 2 cucharaditas de harina de maíz (maicena)

60 ml / 4 cucharadas de agua

5 ml / 1 cucharadita de vino de arroz o jerez seco

2,5 ml / ¬Ω cucharadita de sal

45 ml / 2 cucharadas de puré de tomate (pasta)

Calentar el aceite y sofreír el pimiento durante 2 minutos. Agrega las gambas y el puré de tomate y revuelve bien. Mezcle el agua de harina de maíz, el vino o el jerez y la sal hasta obtener una pasta, revuélvalo en la sartén y cocine a fuego lento, revolviendo, hasta que la salsa se aclare y espese.

Langostinos Salteados con Cerdo

Para 4 personas

225 g / 8 oz de gambas peladas

100 g / 4 oz de carne de cerdo magra, desmenuzada

60 ml / 4 cucharadas de vino de arroz o jerez seco

1 clara de huevo

45 ml / 3 cucharadas de harina de maíz (maicena)

5 ml / 1 cucharadita de sal

15 ml / 1 cucharada de agua (opcional)

90 ml / 6 cucharadas de aceite de cacahuete (maní)

45 ml / 3 cucharadas de caldo de pescado

5 ml / 1 cucharadita de aceite de sésamo

Coloque las gambas y el cerdo en platos separados. Mezclar 45 ml / 3 cucharadas de vino o jerez, la clara de huevo, 30 ml / 2 cucharadas de harina de maíz y la sal para hacer una masa suelta, agregando el agua si es necesario. Divida la mezcla entre el cerdo y las gambas y revuelva bien para cubrirlos uniformemente. Calentar el aceite y sofreír el cerdo y las gambas unos minutos hasta que se doren. Retirar de la sartén y verter todo menos 15 ml / 1 cucharada de aceite. Agregue el caldo a la sartén con el vino restante o el jerez y la harina de maíz. Lleve a ebullición y cocine a fuego lento, revolviendo, hasta que la salsa espese. Verter sobre las gambas y el cerdo y servir espolvoreado con aceite de sésamo.

Langostinos Fritos con Salsa de Jerez

Para 4 personas

50 g / 2 oz / ¬Ω taza de harina común (para todo uso)

2,5 ml / ¬Ω cucharadita de sal

1 huevo, ligeramente batido

30 ml / 2 cucharadas de agua

450 g / 1 libra de gambas peladas

aceite para freír

15 ml / 1 cucharada de aceite de cacahuete

1 cebolla finamente picada

45 ml / 3 cucharadas de vino de arroz o jerez seco

15 ml / 1 cucharada de salsa de soja

120 ml / 4 fl oz / ¬Ω taza de caldo de pescado

10 ml / 2 cucharaditas de harina de maíz (maicena)

30 ml / 2 cucharadas de agua

Batir la harina, la sal, el huevo y el agua para hacer una masa, agregando un poco más de agua si es necesario. Mezclar con las gambas hasta que queden bien rebozadas. Calentar el aceite y sofreír las gambas durante unos minutos hasta que estén crujientes y doradas. Escurrir sobre papel de cocina y colocar en una fuente para servir caliente. Mientras tanto, calentar el aceite y sofreír la cebolla hasta que se ablande. Agregue el vino o jerez, la salsa de soja y el caldo, lleve a ebullición y cocine a fuego lento durante 4 minutos. Mezcle la harina de maíz y el agua hasta obtener una pasta, revuelva en la sartén y cocine a fuego lento, revolviendo, hasta que la salsa se aclare y espese. Vierta la salsa sobre las gambas y sirva.

Langostinos fritos con sésamo

Para 4 personas

450 g / 1 libra de gambas peladas

¬Ω clara de huevo

5 ml / 1 cucharadita de salsa de soja

5 ml / 1 cucharadita de aceite de sésamo

50 g / 2 oz / ¬Ω taza de harina de maíz (maicena)

sal y pimienta blanca recién molida

aceite para freír

60 ml / 4 cucharadas de semillas de sésamo

Hojas de lechuga

Mezclar las gambas con la clara de huevo, la salsa de soja, el aceite de sésamo, la maicena, la sal y la pimienta. Agrega un poco de agua si la mezcla es demasiado espesa. Calentar el aceite y sofreír las gambas durante unos minutos hasta que estén ligeramente doradas. Mientras tanto, tueste las semillas de sésamo brevemente en una sartén seca hasta que estén doradas. Escurrir las gambas y mezclar con las semillas de sésamo. Sirve sobre un lecho de lechuga.

Langostinos salteados en su caparazón

Para 4 personas

60 ml / 4 cucharadas de aceite de cacahuete

750 g / 1¬Ω lb de gambas sin pelar

3 cebolletas (cebolletas), picadas

3 rodajas de raíz de jengibre, picada

2,5 ml / ¬Ω cucharadita de sal

15 ml / 1 cucharada de vino de arroz o jerez seco

120 ml / 4 fl oz / ¬Ω taza de salsa de tomate (salsa de tomate)

15 ml / 1 cucharada de salsa de soja

15 ml / 1 cucharada de azúcar

15 ml / 1 cucharada de harina de maíz (maicena)

60 ml / 4 cucharadas de agua

Calentar el aceite y freír las gambas durante 1 minuto si están cocidas o hasta que se pongan rosadas si están crudas. Agrega las cebolletas, el jengibre, la sal y el vino o jerez y sofríe durante 1 minuto. Agrega la salsa de tomate, la salsa de soja y el azúcar y sofríe durante 1 minuto. Mezcle la harina de maíz y el agua, revuelva en la sartén y cocine a fuego lento, revolviendo, hasta que la salsa se aclare y espese.

Langostinos Fritos

Para 4 personas

75 g / 3 oz / colmada ¬° taza de harina de maíz (maicena)
1 clara de huevo
5 ml / 1 cucharadita de vino de arroz o jerez seco
sal
350 g / 12 oz de gambas peladas
aceite para freír

Batir la harina de maíz, la clara de huevo, el vino o el jerez y una pizca de sal para hacer una masa espesa. Sumerge las gambas en la masa hasta que queden bien rebozadas. Calentar el aceite hasta que esté moderadamente caliente y freír las gambas durante unos minutos hasta que se doren. Retirar del aceite, calentar hasta que esté caliente y volver a freír las gambas hasta que estén crujientes y doradas.

Tempura de Langostinos

Para 4 personas

450 g / 1 libra de gambas peladas
30 ml / 2 cucharadas de harina común (para todo uso)
30 ml / 2 cucharadas de harina de maíz (maicena)
30 ml / 2 cucharadas de agua
2 huevos batidos
aceite para freír

Cortar las gambas a la mitad de la curva interior y extenderlas para formar una mariposa. Mezcle la harina, la maicena y el agua hasta formar una masa y luego agregue los huevos. Calentar el aceite y sofreír las gambas hasta que se doren.

Goma de mascar

Para 4 personas

30 ml / 2 cucharadas de aceite de cacahuete

2 cebolletas (cebolletas), picadas

1 diente de ajo machacado

1 rodaja de raíz de jengibre, picada

100 g / 4 oz de pechuga de pollo, cortada en tiras

100 g / 4 oz de jamón, cortado en tiras

100 g / 4 oz de brotes de bambú, cortados en tiras

100 g / 4 oz de castañas de agua, cortadas en tiras

225 g / 8 oz de gambas peladas

30 ml / 2 cucharadas de salsa de soja

30 ml / 2 cucharadas de vino de arroz o jerez seco

5 ml / 1 cucharadita de sal

5 ml / 1 cucharadita de azúcar

5 ml / 1 cucharadita de harina de maíz (maicena)

Calentar el aceite y sofreír las cebolletas, el ajo y el jengibre hasta que estén ligeramente dorados. Agrega el pollo y sofríe durante 1 minuto. Agrega el jamón, los brotes de bambú y las castañas de agua y sofríe durante 3 minutos. Agrega las gambas y sofríe durante 1 minuto. Agrega la salsa de soja, el vino o jerez, la sal y el azúcar y sofríe durante 2 minutos. Mezcle la harina de maíz con un poco de agua, revuélvala en la sartén y cocine a fuego lento, revolviendo durante 2 minutos.

Langostinos con Tofu

Para 4 personas

45 ml / 3 cucharadas de aceite de maní (maní)

225 g / 8 oz de tofu, en cubos

1 cebolla tierna (cebolleta), picada

1 diente de ajo machacado

15 ml / 1 cucharada de salsa de soja

5 ml / 1 cucharadita de azúcar

90 ml / 6 cucharadas de caldo de pescado

225 g / 8 oz de gambas peladas

15 ml / 1 cucharada de harina de maíz (maicena)

45 ml / 3 cucharadas de agua

Calentar la mitad del aceite y freír el tofu hasta que esté ligeramente dorado y luego retirarlo de la sartén. Calentar el aceite restante y sofreír las cebolletas y el ajo hasta que estén ligeramente dorados. Añadir la salsa de soja, el azúcar y el caldo y llevar a ebullición. Agrega las gambas y revuelve a fuego lento durante 3 minutos. Mezcle la harina de maíz y el agua hasta obtener una pasta, revuelva en la sartén y cocine a fuego lento, revolviendo, hasta que la salsa espese. Regrese el tofu a la sartén y cocine a fuego lento hasta que esté completamente caliente.

Langostinos con Tomate

Para 4 personas

2 claras de huevo

30 ml / 2 cucharadas de harina de maíz (maicena)

5 ml / 1 cucharadita de sal

450 g / 1 libra de gambas peladas

aceite para freír

30 ml / 2 cucharadas de vino de arroz o jerez seco

225 g / 8 oz de tomates, sin piel, sin semillas y picados

Mezclar las claras de huevo, la maicena y la sal. Agrega las gambas hasta que estén bien cubiertas. Calentar el aceite y sofreír las gambas hasta que estén cocidas. Vierta todo menos 15 ml / 1 cucharada de aceite y vuelva a calentar. Agrega el vino o el jerez y los tomates y lleva a ebullición. Agregue las gambas y caliente rápidamente antes de servir.

Langostinos con Salsa de Tomate

Para 4 personas

30 ml / 2 cucharadas de aceite de cacahuete

1 diente de ajo machacado

2 rodajas de raíz de jengibre, picadas

2,5 ml / ¬Ω cucharadita de sal

15 ml / 1 cucharada de vino de arroz o jerez seco

15 ml / 1 cucharada de salsa de soja

6 ml / 4 cucharadas de salsa de tomate (ketchup)

120 ml / 4 fl oz / ¬Ω taza de caldo de pescado

350 g / 12 oz de gambas peladas

10 ml / 2 cucharaditas de harina de maíz (maicena)

30 ml / 2 cucharadas de agua

Calentar el aceite y sofreír el ajo, el jengibre y la sal durante 2 minutos. Agrega el vino o jerez, la salsa de soja, la salsa de tomate y el caldo y lleva a ebullición. Agrega las gambas, tapa y cocina a fuego lento durante 2 minutos. Mezcle la harina de maíz y el agua hasta obtener una pasta, revuélvala en la sartén y cocine a fuego lento, revolviendo, hasta que la salsa se aclare y espese.

Langostinos con Salsa de Tomate y Chile

Para 4 personas

60 ml / 4 cucharadas de aceite de cacahuete

15 ml / 1 cucharada de jengibre picado

15 ml / 1 cucharada de ajo picado

15 ml / 1 cucharada de cebolleta picada

60 ml / 4 cucharadas de puré de tomate (pasta)

15 ml / 1 cucharada de salsa de chile

450 g / 1 libra de gambas peladas

15 ml / 1 cucharada de harina de maíz (maicena)

15 ml / 1 cucharada de agua

Calentar el aceite y sofreír el jengibre, el ajo y la cebolleta durante 1 minuto. Agregue el puré de tomate y la salsa de chile y mezcle bien. Agrega las gambas y sofríe durante 2 minutos. Mezcle la harina de maíz y el agua hasta obtener una pasta, revuélvala en la sartén y cocine a fuego lento hasta que la salsa espese. Sirva de una vez.

Langostinos Fritos con Salsa de Tomate

Para 4 personas

50 g / 2 oz / ¬Ω taza de harina común (para todo uso)

2,5 ml / ¬Ω cucharadita de sal

1 huevo, ligeramente batido

30 ml / 2 cucharadas de agua

450 g / 1 libra de gambas peladas

aceite para freír

30 ml / 2 cucharadas de aceite de cacahuete

1 cebolla finamente picada

2 rodajas de raíz de jengibre, picadas

75 ml / 5 cucharadas de salsa de tomate (salsa de tomate)

10 ml / 2 cucharaditas de harina de maíz (maicena)

30 ml / 2 cucharadas de agua

Batir la harina, la sal, el huevo y el agua para hacer una masa, agregando un poco más de agua si es necesario. Mezclar con las gambas hasta que queden bien rebozadas. Calentar el aceite y sofreír las gambas durante unos minutos hasta que estén crujientes y doradas. Escurrir sobre papel de cocina.

Mientras tanto calentar el aceite y sofreír la cebolla y el jengibre hasta que se ablanden. Agregue la salsa de tomate y cocine a fuego lento durante 3 minutos. Mezcle la harina de maíz y el agua hasta obtener una pasta, revuelva en la sartén y cocine a fuego lento, revolviendo, hasta que la salsa espese. Agregue las gambas a la sartén y cocine a fuego lento hasta que estén bien calientes. Sirva de una vez.

Langostinos con Verduras

Para 4 personas

15 ml / 1 cucharada de aceite de cacahuete

225 g / 8 oz de floretes de brócoli

225 g / 8 oz de champiñones

225 g / 8 oz de brotes de bambú, en rodajas

450 g / 1 libra de gambas peladas

120 ml / 4 fl oz / ¬Ω taza de caldo de pollo

5 ml / 1 cucharadita de harina de maíz (maicena)

5 ml / 1 cucharadita de salsa de ostras

2,5 ml / ¬Ω cucharadita de azúcar

2,5 ml / ¬Ω cucharadita de raíz de jengibre rallada

pizca de pimienta recién molida

Calentar el aceite y sofreír el brócoli durante 1 minuto. Agrega las setas y los brotes de bambú y sofríe durante 2 minutos. Agrega las gambas y sofríe durante 2 minutos. Mezcle los ingredientes restantes y revuelva con la mezcla de gambas. Lleve a ebullición, revolviendo, luego cocine a fuego lento durante 1 minuto, revolviendo continuamente.

Langostinos con Castañas de Agua

Para 4 personas

60 ml / 4 cucharadas de aceite de cacahuete

1 diente de ajo picado

1 rodaja de raíz de jengibre, picada

450 g / 1 libra de gambas peladas

30 ml / 2 cucharadas de vino de arroz o jerez seco 225 g / 8 oz de castañas de agua, en rodajas

30 ml / 2 cucharadas de salsa de soja

15 ml / 1 cucharada de harina de maíz (maicena)

45 ml / 3 cucharadas de agua

Calentar el aceite y sofreír el ajo y el jengibre hasta que estén ligeramente dorados. Agrega las gambas y sofríe durante 1 minuto. Agregue el vino o jerez y revuelva bien. Agrega las castañas de agua y sofríe durante 5 minutos. Agrega el resto de los ingredientes y sofríe durante 2 minutos.

Wonton de gambas

Para 4 personas

450 g / 1 lb de gambas peladas, picadas
225 g / 8 oz de verduras mixtas, picadas
15 ml / 1 cucharada de salsa de soja
2,5 ml / ¬Ω cucharadita de sal
unas gotas de aceite de sésamo
40 pieles de wonton
aceite para freír

Mezclar las gambas, las verduras, la salsa de soja, la sal y el aceite de sésamo.

Para doblar los wonton, sostén la piel en la palma de tu mano izquierda y coloca un poco de relleno en el centro. Humedece los bordes con huevo y dobla la piel en triángulo, sellando los bordes. Humedece las esquinas con huevo y retuerce.

Calentar el aceite y freír los wonton de a pocos hasta que se doren. Escurrir bien antes de servir.

Abulón con Pollo

Para 4 personas

400 g / 14 oz de abulón enlatado

30 ml / 2 cucharadas de aceite de cacahuete

100 g / 4 oz de pechuga de pollo, cortada en cubitos

100 g / 4 oz de brotes de bambú, en rodajas

250 ml / 8 fl oz / 1 taza de caldo de pescado

15 ml / 1 cucharada de vino de arroz o jerez seco

5 ml / 1 cucharadita de azúcar

2,5 ml / ¬Ω cucharadita de sal

15 ml / 1 cucharada de harina de maíz (maicena)

45 ml / 3 cucharadas de agua

Escurrir y cortar el abulón en rodajas, reservando el jugo. Calentar el aceite y sofreír el pollo hasta que tenga un color ligero. Agrega los brotes de abulón y bambú y sofríe durante 1 minuto. Agregue el líquido de abulón, caldo, vino o jerez, azúcar y sal, deje hervir y cocine a fuego lento durante 2 minutos. Mezcle la harina de maíz y el agua hasta obtener una pasta y cocine a fuego lento, revolviendo, hasta que la salsa se aclare y espese. Sirva de una vez.

Abulón con Espárragos

Para 4 personas

10 hongos chinos secos

30 ml / 2 cucharadas de aceite de cacahuete

15 ml / 1 cucharada de agua

225 g / 8 oz de espárragos

2,5 ml / ¬Ω cucharadita de salsa de pescado

15 ml / 1 cucharada de harina de maíz (maicena)

225 g / 8 oz de abulón enlatado, rebanado

60 ml / 4 cucharadas de caldo

¬Ω zanahoria pequeña, en rodajas

5 ml / 1 cucharadita de salsa de soja

5 ml / 1 cucharadita de salsa de ostras

5 ml / 1 cucharadita de vino de arroz o jerez seco

Remojar los champiñones en agua tibia durante 30 minutos y luego escurrir. Desecha los tallos. Calentar 15 ml / 1 cucharada de aceite con el agua y freír las setas durante 10 minutos. Mientras tanto, cocine los espárragos en agua hirviendo con la salsa de pescado y 5 ml / 1 cucharadita de harina de maíz hasta que estén tiernos. Escurrir bien y colocar en un plato de servir calentado con los champiñones. Mantenlos calientes. Calentar el aceite restante y freír el abulón durante unos segundos, luego agregar el caldo, la zanahoria, la salsa de soja, la salsa de ostras, el vino o jerez y el resto de la maicena. Cocine durante unos 5 minutos hasta que esté bien cocido, luego vierta sobre los espárragos y sirva.

Abulón con Champiñones

Para 4 personas

6 hongos chinos secos

400 g / 14 oz de abulón enlatado

45 ml / 3 cucharadas de aceite de maní (maní)

2,5 ml / ¬Ω cucharadita de sal

15 ml / 1 cucharada de vino de arroz o jerez seco

3 cebolletas (cebolletas), en rodajas gruesas

Remojar los champiñones en agua tibia durante 30 minutos y luego escurrir. Deseche los tallos y corte las tapas. Escurrir y cortar el abulón en rodajas, reservando el jugo. Calentar el aceite y sofreír la sal y los champiñones durante 2 minutos. Agregue el líquido de abulón y el jerez, lleve a ebullición, tape y cocine a fuego lento durante 3 minutos. Agregue el abulón y las cebolletas y cocine a fuego lento hasta que estén bien calientes. Sirva de una vez.

Abulón con salsa de ostras

Para 4 personas

400 g / 14 oz de abulón enlatado

15 ml / 1 cucharada de harina de maíz (maicena)

15 ml / 1 cucharada de salsa de soja

145

45 ml / 3 cucharadas de salsa de ostras

30 ml / 2 cucharadas de aceite de cacahuete

50 g / 2 oz de jamón ahumado, picado

Escurre la lata de abulón y reserva 90 ml / 6 cucharadas del líquido. Mezclar esto con la harina de maíz, la salsa de soja y la salsa de ostras. Calentar el aceite y sofreír el abulón escurrido durante 1 minuto. Agregue la mezcla de salsa y cocine a fuego lento, revolviendo, durante aproximadamente 1 minuto hasta que esté completamente caliente. Transfiera a un plato para servir caliente y sirva adornado con jamón.

Almejas al vapor

Para 4 personas

24 almejas

Frote bien las almejas y luego sumérjalas en agua con sal durante unas horas. Enjuague con agua corriente y colóquelo en un plato refractario poco profundo. Coloque sobre una rejilla en una vaporera, cubra y cocine al vapor sobre agua hirviendo a fuego lento durante unos 10 minutos hasta que todas las almejas se hayan abierto. Deseche los que permanezcan cerrados. Sirve con salsas.

Almejas con brotes de soja

Para 4 personas

24 almejas

15 ml / 1 cucharada de aceite de cacahuete

150 g / 5 oz de brotes de soja

1 pimiento verde cortado en tiritas

2 cebolletas (cebolletas), picadas

15 ml / 1 cucharada de vino de arroz o jerez seco

sal y pimienta recién molida

2,5 ml / ¬Ω cucharadita de aceite de sésamo

50 g / 2 oz de jamón ahumado, picado

Frote bien las almejas y luego sumérjalas en agua con sal durante unas horas. Enjuague con agua corriente. Ponga a hervir una cacerola con agua, agregue las almejas y cocine a fuego lento durante unos minutos hasta que se abran. Escurre y desecha los que queden cerrados. Retire las almejas de las conchas.

Calentar el aceite y freír los brotes de soja durante 1 minuto. Agrega el pimiento y las cebolletas y sofríe durante 2 minutos. Agrega el vino o jerez y sazona con sal y pimienta. Caliente y luego agregue las almejas y revuelva hasta que esté bien mezclado y caliente. Transfiera a un plato para servir caliente y sirva espolvoreado con aceite de sésamo y jamón.

Almejas con Jengibre y Ajo

Para 4 personas

24 almejas

15 ml / 1 cucharada de aceite de cacahuete

2 rodajas de raíz de jengibre, picadas

2 dientes de ajo machacados

15 ml / 1 cucharada de agua

5 ml / 1 cucharadita de aceite de sésamo

sal y pimienta recién molida

Frote bien las almejas y luego sumérjalas en agua con sal durante unas horas. Enjuague con agua corriente. Calentar el aceite y freír el jengibre y el ajo durante 30 segundos. Agrega las almejas, el agua y el aceite de sésamo, tapa y cocina por unos 5 minutos hasta que las almejas se abran. Deseche los que permanezcan cerrados. Sazone ligeramente con sal y pimienta y sirva de inmediato.

Almejas Salteadas

Para 4 personas

24 almejas

60 ml / 4 cucharadas de aceite de cacahuete

4 dientes de ajo picados

1 cebolla picada

2,5 ml / ¬Ω cucharadita de sal

Frote bien las almejas y luego sumérjalas en agua con sal durante unas horas. Enjuague con agua corriente y luego seque. Calentar el aceite y sofreír el ajo, la cebolla y la sal hasta que se ablanden. Agrega las almejas, tapa y cocina a fuego lento durante unos 5 minutos hasta que se hayan abierto todas las conchas. Deseche los que permanezcan cerrados. Sofreír suavemente durante 1 minuto más, rociando con aceite.

Pasteles de cangrejo

Para 4 personas

225 g / 8 oz de brotes de soja

60 ml / 4 cucharadas de aceite de maní (maní) 100 g / 4 oz de brotes de bambú, cortados en tiras

1 cebolla picada

225 g / 8 oz de carne de cangrejo, en copos

4 huevos, ligeramente batidos

15 ml / 1 cucharada de harina de maíz (maicena)

30 ml / 2 cucharadas de salsa de soja

sal y pimienta recién molida

Escaldar los brotes de soja en agua hirviendo durante 4 minutos y luego escurrir. Calentar la mitad del aceite y sofreír los brotes de soja, los brotes de bambú y la cebolla hasta que se ablanden. Retirar del fuego y mezclar con el resto de los ingredientes, excepto el aceite. Calentar el aceite restante en una sartén limpia y sofreír cucharadas de la mezcla de carne de cangrejo para hacer tortas pequeñas. Freír hasta que estén ligeramente dorados por ambos lados y luego servir de una vez.

Natillas de cangrejo

Para 4 personas

225 g / 8 oz de carne de cangrejo

5 huevos batidos

1 cebolleta (cebolleta) finamente picada

250 ml / 8 fl oz / 1 taza de agua

5 ml / 1 cucharadita de sal

5 ml / 1 cucharadita de aceite de sésamo

Mezcle bien todos los ingredientes. Coloque en un recipiente, cubra y coloque en la parte superior del baño maría sobre agua caliente o en una rejilla para vaporera. Cocine al vapor durante unos 35 minutos hasta obtener la consistencia de una natilla, revolviendo ocasionalmente. Sirve con arroz.

Carne de cangrejo con hojas chinas

Para 4 personas

450 g / 1 lb de hojas chinas, ralladas

45 ml / 3 cucharadas de aceite vegetal

2 cebolletas (cebolletas), picadas

225 g / 8 oz de carne de cangrejo

15 ml / 1 cucharada de salsa de soja

15 ml / 1 cucharada de vino de arroz o jerez seco

5 ml / 1 cucharadita de sal

Escaldar las hojas chinas en agua hirviendo durante 2 minutos, luego escurrir bien y enjuagar con agua fría. Calentar el aceite y sofreír las cebolletas hasta que estén ligeramente doradas. Agrega la carne de cangrejo y sofríe durante 2 minutos. Agrega las hojas chinas y sofríe durante 4 minutos. Agrega la salsa de soja, el vino o el jerez y la sal y mezcla bien. Agregue el caldo y la harina de maíz, lleve a ebullición y cocine a fuego lento, revolviendo, durante 2 minutos hasta que la salsa se aclare y espese.

Cangrejo Foo Yung con brotes de soja

Para 4 personas

6 huevos batidos

45 ml / 3 cucharadas de harina de maíz (maicena)

225 g / 8 oz de carne de cangrejo

100 g / 4 oz de brotes de soja

2 cebolletas (cebolletas), finamente picadas

2,5 ml / ¬Ω cucharadita de sal

45 ml / 3 cucharadas de aceite de maní (maní)

Batir los huevos y luego incorporar la harina de maíz. Mezcle los ingredientes restantes excepto el aceite. Calentar el aceite y verter la mezcla en la sartén poco a poco para hacer tortitas pequeñas de unos 7,5 cm de ancho. Freír hasta que se dore en el fondo, luego voltear y dorar por el otro lado.

Cangrejo con Jengibre

Para 4 personas

15 ml / 1 cucharada de aceite de cacahuete

2 rodajas de raíz de jengibre picadas

4 cebolletas (cebolletas), picadas

3 dientes de ajo machacados

1 guindilla roja picada

350 g / 12 oz de carne de cangrejo, en copos

2,5 ml / ¬Ω cucharadita de pasta de pescado

2,5 ml / ¬Ω cucharadita de aceite de sésamo

15 ml / 1 cucharada de vino de arroz o jerez seco

5 ml / 1 cucharadita de harina de maíz (maicena)

15 ml / 1 cucharada de agua

Calentar el aceite y sofreír el jengibre, las cebolletas, el ajo y la guindilla durante 2 minutos. Agregue la carne de cangrejo y revuelva hasta que esté bien cubierto con las especias. Incorpora la pasta de pescado. Mezcle los ingredientes restantes hasta obtener una pasta, luego revuélvalos en la sartén y saltee durante 1 minuto. Sirva de una vez.

Cangrejo Lo Mein

Para 4 personas

100 g / 4 oz de brotes de soja

30 ml / 2 cucharadas de aceite de cacahuete

5 ml / 1 cucharadita de sal

1 cebolla en rodajas

100 g / 4 oz de champiñones, en rodajas

225 g / 8 oz de carne de cangrejo, en copos

100 g / 4 oz de brotes de bambú, en rodajas

Tallarines Tostados

30 ml / 2 cucharadas de salsa de soja

5 ml / 1 cucharadita de azúcar

5 ml / 1 cucharadita de aceite de sésamo

sal y pimienta recién molida

Escaldar los brotes de soja en agua hirviendo durante 5 minutos y luego escurrir. Calentar el aceite y sofreír la sal y la cebolla hasta que se ablanden. Agrega los champiñones y sofríe hasta que se ablanden. Agrega la carne de cangrejo y sofríe durante 2 minutos. Agregue los brotes de soja y los brotes de bambú y saltee durante 1 minuto. Agregue los fideos escurridos a la sartén y revuelva suavemente. Mezcle la salsa de soja, el azúcar y el aceite de sésamo y sazone con sal y pimienta. Revuelva en la sartén hasta que esté bien caliente.

Cangrejo Salteado con Cerdo

Para 4 personas

30 ml / 2 cucharadas de aceite de cacahuete

100 g / 4 oz de carne de cerdo picada (molida)

350 g / 12 oz de carne de cangrejo, en copos

2 rodajas de raíz de jengibre, picadas

2 huevos, ligeramente batidos

15 ml / 1 cucharada de salsa de soja

15 ml / 1 cucharada de vino de arroz o jerez seco

30 ml / 2 cucharadas de agua

sal y pimienta recién molida

4 cebolletas (cebolletas), cortadas en tiras

Calentar el aceite y sofreír el cerdo hasta que tenga un color ligero. Agrega la carne de cangrejo y el jengibre y sofríe durante 1 minuto. Agrega los huevos. Agregue la salsa de soja, el vino o el jerez, el agua, la sal y la pimienta y cocine a fuego lento durante unos 4 minutos, revolviendo. Sirva adornado con cebolletas.

Carne de cangrejo salteada

Para 4 personas

30 ml / 2 cucharadas de aceite de cacahuete

450 g / 1 lb de carne de cangrejo, en copos

2 cebolletas (cebolletas), picadas

2 rodajas de raíz de jengibre, picadas

30 ml / 2 cucharadas de salsa de soja

30 ml / 2 cucharadas de vino de arroz o jerez seco

2,5 ml / ¬Ω cucharadita de sal

15 ml / 1 cucharada de harina de maíz (maicena)

60 ml / 4 cucharadas de agua

Calentar el aceite y sofreír la carne de cangrejo, las cebolletas y el jengibre durante 1 minuto. Agregue la salsa de soja, el vino o el jerez y la sal, tape y cocine a fuego lento durante 3 minutos. Mezcle la harina de maíz y el agua hasta obtener una pasta, revuelva en la sartén y cocine a fuego lento, revolviendo, hasta que la salsa se aclare y espese.

Bolas de sepia fritas

Para 4 personas

450 g / 1 libra de sepia

50 g / 2 oz de manteca de cerdo, machacada

1 clara de huevo

2,5 ml / ¬Ω cucharadita de azúcar

2,5 ml / ¬Ω cucharadita de maicena (maicena)

sal y pimienta recién molida

aceite para freír

Cortar la sepia y triturarla o convertirla en pulpa. Mezclar con la manteca de cerdo, la clara de huevo, el azúcar y la maicena y sazonar con sal y pimienta. Presione la mezcla en bolitas. Calentar el aceite y freír las bolas de sepia, en tandas si es necesario, hasta que floten hasta la superficie del aceite y se doren. Escurrir bien y servir de una vez.

Langosta cantonés

Para 4 personas

2 langostas

30 ml / 2 cucharadas de aceite

15 ml / 1 cucharada de salsa de frijoles negros

1 diente de ajo machacado

1 cebolla picada

225 g / 8 oz de carne de cerdo picada (molida)

45 ml / 3 cucharadas de salsa de soja

5 ml / 1 cucharadita de azúcar

sal y pimienta recién molida

15 ml / 1 cucharada de harina de maíz (maicena)

75 ml / 5 cucharadas de agua

1 huevo batido

Romper las langostas, sacar la carne y cortarla en cubos de 2,5 cm. Calentar el aceite y sofreír la salsa de frijoles negros, el ajo y la cebolla hasta que estén ligeramente dorados. Agrega la carne de cerdo y sofríe hasta que se dore. Agregue la salsa de soja, el azúcar, la sal, la pimienta y la langosta, tape y cocine a fuego lento durante unos 10 minutos. Mezcle la harina de maíz y el agua hasta obtener una pasta, revuélvala en la sartén y cocine a fuego lento, revolviendo, hasta que la salsa se aclare y espese. Apague el fuego y agregue el huevo antes de servir.

Langosta Frita

Para 4 personas

450 g / 1 lb de carne de langosta
30 ml / 2 cucharadas de salsa de soja
5 ml / 1 cucharadita de azúcar
1 huevo batido
30 ml / 3 cucharadas de harina común (para todo uso)
aceite para freír

Cortar la carne de langosta en cubos de 2,5 cm / 1 y mezclar con la salsa de soja y el azúcar. Dejar reposar 15 minutos y luego escurrir. Batir el huevo y la harina, luego agregar la langosta y mezclar bien para cubrir. Calentar el aceite y sofreír la langosta hasta que se dore. Escurrir sobre papel de cocina antes de servir.

Langosta al vapor con jamón

Para 4 personas

4 huevos, ligeramente batidos

60 ml / 4 cucharadas de agua

5 ml / 1 cucharadita de sal

15 ml / 1 cucharada de salsa de soja

450 g / 1 lb de carne de langosta, en copos

15 ml / 1 cucharada de jamón ahumado picado

15 ml / 1 cucharada de perejil fresco picado

Batir los huevos con el agua, la sal y la salsa de soja. Verter en un recipiente refractario y espolvorear con carne de bogavante. Coloque el tazón sobre una rejilla en una vaporera, cubra y cocine al vapor durante 20 minutos hasta que los huevos estén listos. Sirve adornado con jamón y perejil.

Langosta con Champiñones

Para 4 personas

450 g / 1 lb de carne de langosta

15 ml / 1 cucharada de harina de maíz (maicena)

60 ml / 4 cucharadas de agua

30 ml / 2 cucharadas de aceite de cacahuete

4 cebolletas (cebolletas), en rodajas gruesas

100 g / 4 oz de champiñones, en rodajas

2,5 ml / ¬Ω cucharadita de sal

1 diente de ajo machacado

30 ml / 2 cucharadas de salsa de soja

15 ml / 1 cucharada de vino de arroz o jerez seco

Cortar la carne de langosta en cubos de 2,5 cm. Mezcle la harina de maíz y el agua hasta obtener una pasta y mezcle los cubos de langosta en la mezcla para cubrirlos. Calentar la mitad del aceite y sofreír los dados de langosta hasta que estén ligeramente dorados retíralos de la sartén. Calentar el aceite restante y sofreír las cebolletas hasta que estén ligeramente doradas. Agrega los champiñones y sofríe durante 3 minutos. Agrega la sal, el ajo, la salsa de soja y el vino o jerez y sofríe durante 2 minutos. Regrese la langosta a la sartén y saltee hasta que esté bien caliente.

Colas de Langosta con Cerdo

Para 4 personas

3 hongos chinos secos

4 colas de langosta

60 ml / 4 cucharadas de aceite de cacahuete

100 g / 4 oz de carne de cerdo picada (molida)

50 g / 2 oz de castañas de agua, finamente picadas

sal y pimienta recién molida

2 dientes de ajo machacados

45 ml / 3 cucharadas de salsa de soja

30 ml / 2 cucharadas de vino de arroz o jerez seco

30 ml / 2 cucharadas de salsa de frijoles negros

10 ml / 2 cucharadas de harina de maíz (maicena)

120 ml / 4 fl oz / ¬Ω taza de agua

Remojar los champiñones en agua tibia durante 30 minutos y luego escurrir. Desechar los tallos y picar las tapas. Cortar las colas de langosta por la mitad a lo largo. Retirar la carne de las colas de langosta, reservando las cáscaras. Calentar la mitad del aceite y freír el cerdo hasta que tenga un color ligero. Retirar del fuego y mezclar los champiñones, la carne de bogavante, las castañas de agua, la sal y la pimienta. Presione la carne de nuevo en las conchas de langosta y colóquela en un plato refractario.

Coloque sobre una rejilla en una vaporera, cubra y cocine al vapor durante unos 20 minutos hasta que esté cocido. Mientras tanto, calentar el aceite restante y sofreír el ajo, la salsa de soja, el vino o el jerez y la salsa de frijoles negros durante 2 minutos. Mezcle la harina de maíz y el agua hasta obtener una pasta, revuélvala en la sartén y cocine a fuego lento, revolviendo, hasta que la salsa espese. Coloque la langosta en un plato para servir caliente, vierta sobre la salsa y sirva de inmediato.

Langosta Salteada

Para 4 personas

450 g / 1 lb de colas de langosta

30 ml / 2 cucharadas de aceite de cacahuete

1 diente de ajo machacado

2,5 ml / ¬Ω cucharadita de sal

350 g / 12 oz de brotes de soja

50 g / 2 oz de champiñones

4 cebolletas (cebolletas), en rodajas gruesas

150 ml / ¬° pt / generosa ¬Ω taza de caldo de pollo

15 ml / 1 cucharada de harina de maíz (maicena)

Ponga a hervir una cacerola con agua, agregue las colas de langosta y hierva por 1 minuto. Escurrir, enfriar, quitar la cáscara y cortar en rodajas gruesas. Calentar el aceite con el ajo y la sal y sofreír hasta que el ajo esté ligeramente dorado. Agrega la langosta y sofríe durante 1 minuto. Agrega los brotes de soja y los champiñones y sofríe durante 1 minuto. Agregue las cebolletas. Agregue la mayor parte del caldo, lleve a ebullición, tape y cocine a fuego lento durante 3 minutos. Mezcle la harina de maíz con el caldo restante, revuélvalo en la sartén y cocine a fuego lento, revolviendo, hasta que la salsa se aclare y espese.

Nidos de langosta

Para 4 personas

30 ml / 2 cucharadas de aceite de cacahuete
5 ml / 1 cucharadita de sal
1 cebolla, finamente rebanada
100 g / 4 oz de champiñones, en rodajas
100 g / 4 oz de brotes de bambú, en rodajas 225 g / 8 oz de carne de langosta cocida
15 ml / 1 cucharada de vino de arroz o jerez seco

120 ml / 4 fl oz / ¬Ω taza de caldo de pollo

pizca de pimienta recién molida

10 ml / 2 cucharaditas de harina de maíz (maicena)

15 ml / 1 cucharada de agua

4 cestas de fideos

Calentar el aceite y sofreír la sal y la cebolla hasta que se ablanden. Agrega las setas y los brotes de bambú y sofríe durante 2 minutos. Agregue la carne de bogavante, el vino o el jerez y el caldo, lleve a ebullición, tape y cocine a fuego lento durante 2 minutos. Sazone con pimienta. Mezcle la harina de maíz y el agua hasta obtener una pasta, revuelva en la sartén y cocine a fuego lento, revolviendo, hasta que la salsa espese. Coloque los nidos de fideos en un plato para servir caliente y cubra con el salteado de langosta.

Mejillones en salsa de frijoles negros

Para 4 personas

45 ml / 3 cucharadas de aceite de maní (maní)

2 dientes de ajo machacados

2 rodajas de raíz de jengibre, picadas

30 ml / 2 cucharadas de salsa de frijoles negros

15 ml / 1 cucharada de salsa de soja

1,5 kg / 3 lb de mejillones, lavados y barbudos

2 cebolletas (cebolletas), picadas

Calentar el aceite y sofreír el ajo y el jengibre durante 30 segundos. Agrega la salsa de frijoles negros y la salsa de soja y sofríe durante 10 segundos. Agregue los mejillones, tape y cocine durante unos 6 minutos hasta que los mejillones se hayan abierto. Deseche los que permanezcan cerrados. Transfiera a un plato para servir caliente y sirva espolvoreado con cebolletas.

Para 4 personas

45 ml / 3 cucharadas de aceite de maní (maní)

2 dientes de ajo machacados

4 rodajas de raíz de jengibre, picadas

1,5 kg / 3 lb de mejillones, lavados y barbudos

45 ml / 3 cucharadas de agua

15 ml / 1 cucharada de salsa de ostras

Calentar el aceite y sofreír el ajo y el jengibre durante 30 segundos. Agrega los mejillones y el agua, tapa y cocina por unos 6 minutos hasta que los mejillones se hayan abierto. Deseche los que permanezcan cerrados. Transfiera a un plato para servir caliente y sirva espolvoreado con salsa de ostras.

Para 4 personas

1,5 kg / 3 lb de mejillones, lavados y barbudos

45 ml / 3 cucharadas de salsa de soja

3 cebolletas (cebolletas), finamente picadas

Coloque los mejillones en una rejilla en una olla a vapor, cubra y cocine al vapor sobre agua hirviendo durante unos 10 minutos hasta que se hayan abierto todos los mejillones. Deseche los que permanezcan cerrados. Transfiera a un plato para servir caliente y sirva espolvoreado con salsa de soja y cebolletas.

Ostras Fritas

Para 4 personas

24 ostras sin cáscara

sal y pimienta recién molida

1 huevo batido

50 g / 2 oz / ¬Ω taza de harina común (para todo uso)

250 ml / 8 fl oz / 1 taza de agua

aceite para freír

4 cebolletas (cebolletas), picadas

Espolvorea las ostras con sal y pimienta. Batir el huevo con la harina y el agua hasta formar una masa y utilizar para cubrir las ostras. Calentar el aceite y sofreír las ostras hasta que estén doradas. Escurrir sobre papel de cocina y servir adornado con cebolletas.

Ostras con Tocino

Para 4 personas

175 g / 6 oz de tocino

24 ostras sin cáscara

1 huevo, ligeramente batido

15 ml / 1 cucharada de agua

45 ml / 3 cucharadas de aceite de maní (maní)

2 cebollas picadas

15 ml / 1 cucharada de harina de maíz (maicena)

15 ml / 1 cucharada de salsa de soja

90 ml / 6 cucharadas de caldo de pollo

Corta el tocino en trozos y envuelve una pieza alrededor de cada ostra. Batir el huevo con el agua y luego sumergirlo en las ostras para cubrirlo. Calentar la mitad del aceite y freír las ostras hasta que estén ligeramente doradas por ambos lados, luego sacarlas de la sartén y escurrir la grasa. Calentar el aceite restante y freír las cebollas hasta que se ablanden. Mezcle la harina de maíz, la salsa de soja y el caldo hasta obtener una pasta, vierta en la sartén y cocine a fuego lento, revolviendo, hasta que la salsa se aclare y espese. Vierta sobre las ostras y sirva de una vez.

Ostras Fritas con Jengibre

Para 4 personas

24 ostras sin cáscara

2 rodajas de raíz de jengibre, picadas

30 ml / 2 cucharadas de salsa de soja

15 ml / 1 cucharada de vino de arroz o jerez seco

4 cebolletas (cebolletas), cortadas en tiras

100 g de tocino

1 huevo

50 g / 2 oz / ¬Ω taza de harina común (para todo uso)

sal y pimienta recién molida

aceite para freír

1 limón cortado en gajos

Coloque las ostras en un bol con el jengibre, la salsa de soja y el vino o jerez y mezcle bien para cubrir. Dejar reposar 30 minutos. Coloque unas tiras de cebolleta encima de cada ostra. Corta el tocino en trozos y envuelve un trozo alrededor de cada ostra. Batir el huevo y la harina hasta formar una masa y sazonar con sal y pimienta. Sumerja las ostras en la masa hasta que estén bien cubiertas. Calentar el aceite y sofreír las ostras hasta que estén doradas. Sirva adornado con rodajas de limón.

Para 4 personas

350 g / 12 oz de ostras sin cáscara

120 ml / 4 fl oz / ¬Ω taza de aceite de maní (maní)

2 dientes de ajo machacados

3 cebolletas (cebolletas), en rodajas

15 ml / 1 cucharada de salsa de frijoles negros

30 ml / 2 cucharadas de salsa de soja oscura

15 ml / 1 cucharada de aceite de sésamo

pizca de chile en polvo

Escaldar las ostras en agua hirviendo durante 30 segundos y luego escurrir. Calentar el aceite y sofreír el ajo y las cebolletas durante 30 segundos. Agregue la salsa de frijoles negros, la salsa de soja, el aceite de sésamo y las ostras y sazone al gusto con chile en polvo. Sofreír hasta que esté bien caliente y servir de inmediato.

Vieiras con brotes de bambú

Para 4 personas

60 ml / 4 cucharadas de aceite de cacahuete

6 cebolletas (cebolletas), picadas

225 g / 8 oz de champiñones, en cuartos

15 ml / 1 cucharada de azúcar

450 g / 1 libra de vieiras sin cáscara

2 rodajas de raíz de jengibre picadas

225 g / 8 oz de brotes de bambú, en rodajas

sal y pimienta recién molida

300 ml / ¬Ω pt / 1 ¬º tazas de agua

30 ml / 2 cucharadas de vinagre de vino

30 ml / 2 cucharadas de harina de maíz (maicena)

150 ml / ¬º pt / generosa ¬Ω taza de agua

45 ml / 3 cucharadas de salsa de soja

Calentar el aceite y sofreír las cebolletas y los champiñones durante 2 minutos. Agrega el azúcar, las vieiras, el jengibre, los brotes de bambú, la sal y la pimienta, tapa y cocina por 5 minutos. Agregue el agua y el vinagre de vino, lleve a ebullición, tape y cocine a fuego lento durante 5 minutos. Mezcle la harina de maíz y el agua hasta obtener una pasta, revuelva en la sartén y cocine a fuego lento, revolviendo, hasta que la salsa espese. Sazone con salsa de soja y sirva.

Vieiras con Huevo

Para 4 personas

45 ml / 3 cucharadas de aceite de maní (maní)

350 g / 12 oz de vieiras sin cáscara

25 g / 1 oz de jamón ahumado, picado

30 ml / 2 cucharadas de vino de arroz o jerez seco

5 ml / 1 cucharadita de azúcar

2,5 ml / ¬Ω cucharadita de sal

pizca de pimienta recién molida

2 huevos, ligeramente batidos

15 ml / 1 cucharada de salsa de soja

Calentar el aceite y sofreír las vieiras durante 30 segundos. Agrega el jamón y sofríe durante 1 minuto. Agrega el vino o jerez, el azúcar, la sal y la pimienta y sofríe durante 1 minuto. Agregue los huevos y revuelva suavemente a fuego alto hasta que los ingredientes estén bien cubiertos de huevo. Sirve espolvoreado con salsa de soja.

Vieiras con Brócoli

Para 4 personas

350 g / 12 oz de vieiras, en rodajas

3 rodajas de raíz de jengibre, picada

¬Ω zanahoria pequeña, en rodajas

1 diente de ajo machacado

45 ml / 3 cucharadas de harina normal (para todo uso)

2,5 ml / ¬Ω cucharadita de bicarbonato de sodio (bicarbonato

de sodio)

30 ml / 2 cucharadas de aceite de cacahuete

15 ml / 1 cucharada de agua

1 plátano en rodajas

aceite para freír

275 g / 10 oz de brócoli

sal

5 ml / 1 cucharadita de aceite de sésamo

2,5 ml / ¬Ω cucharadita de salsa de chile

2,5 ml / ¬Ω cucharadita de vinagre de vino

2,5 ml / ¬Ω cucharadita de puré de tomate (pasta)

Mezclar las vieiras con el jengibre, la zanahoria y el ajo y dejar reposar. Mezcle la harina, el bicarbonato de sodio, 15 ml / 1 cucharada de aceite y el agua hasta obtener una pasta y úsela para cubrir las rodajas de plátano. Calienta el aceite y fríe el plátano hasta que esté dorado, luego escúrrelo y colócalo alrededor de un plato para servir caliente. Mientras tanto, cocine el brócoli en agua hirviendo con sal hasta que esté tierno y luego escurra. Calentar el aceite restante con el aceite de sésamo y sofreír el brócoli brevemente y luego colocarlo alrededor del plato con los plátanos. Agrega la salsa de chile, el vinagre de vino y el puré de tomate a la sartén y sofríe las vieiras hasta que estén cocidas. Vierta con una cuchara en el plato de servir y sirva de inmediato.

Vieiras con Jengibre

Para 4 personas

45 ml / 3 cucharadas de aceite de maní (maní)

2,5 ml / ¬Ω cucharadita de sal

3 rodajas de raíz de jengibre, picada

2 cebolletas (cebolletas), en rodajas gruesas

450 g / 1 lb de vieiras sin cáscara, cortadas por la mitad

15 ml / 1 cucharada de harina de maíz (maicena)

60 ml / 4 cucharadas de agua

Calentar el aceite y freír la sal y el jengibre durante 30 segundos.
Agregue las cebolletas y saltee hasta que estén ligeramente
doradas. Agrega las vieiras y sofríe durante 3 minutos. Mezcle la
harina de maíz y el agua hasta obtener una pasta, agregue a la
sartén y cocine a fuego lento, revolviendo, hasta que espese.
Sirva de una vez.

Vieiras con Jamón

Para 4 personas

450 g / 1 lb de vieiras sin cáscara, cortadas por la mitad

250 ml / 8 fl oz / 1 taza de vino de arroz o jerez seco

1 cebolla finamente picada

2 rodajas de raíz de jengibre, picadas

2,5 ml / ¬Ω cucharadita de sal

100 g / 4 oz de jamón ahumado, picado

Coloque las vieiras en un bol y agregue el vino o jerez. Tapar y dejar macerar durante 30 minutos, volteando de vez en cuando, luego escurrir las vieiras y desechar la marinada. Colocar las vieiras en una fuente refractaria con el resto de los ingredientes. Coloque el plato sobre una rejilla en una vaporera, cubra y cocine al vapor sobre agua hirviendo durante unos 6 minutos hasta que las vieiras estén tiernas.

Revuelto de vieiras con hierbas

Para 4 personas

225 g / 8 oz de vieiras sin cáscara

30 ml / 2 cucharadas de cilantro fresco picado

4 huevos batidos

15 ml / 1 cucharada de vino de arroz o jerez seco

sal y pimienta recién molida

15 ml / 1 cucharada de aceite de cacahuete

Coloque las vieiras en una vaporera y cocine al vapor durante unos 3 minutos hasta que estén cocidas, dependiendo del tamaño. Retirar de la vaporera y espolvorear con cilantro. Batir los huevos con el vino o jerez y sazonar al gusto con sal y pimienta. Incorpora las vieiras y el cilantro. Calentar el aceite y freír la mezcla de huevo y vieiras, revolviendo constantemente, hasta que los huevos estén listos. Servir inmediatamente.

Salteado de Vieira y Cebolla

Para 4 personas

45 ml / 3 cucharadas de aceite de maní (maní)

1 cebolla en rodajas

450 g / 1 lb de vieiras sin cáscara, en cuartos

sal y pimienta recién molida

15 ml / 1 cucharada de vino de arroz o jerez seco

Calentar el aceite y sofreír la cebolla hasta que se ablande. Agrega las vieiras y sofríe hasta que estén ligeramente doradas. Sazone con sal y pimienta, espolvoree con vino o jerez y sirva de inmediato.

Vieiras con Verduras

Para 4'6

4 hongos chinos secos

2 cebollas

30 ml / 2 cucharadas de aceite de cacahuete

3 tallos de apio, cortados en diagonal

225 g / 8 oz de ejotes, cortados en diagonal

10 ml / 2 cucharaditas de raíz de jengibre rallada

1 diente de ajo machacado

20 ml / 4 cucharaditas de harina de maíz (maicena)

250 ml / 8 fl oz / 1 taza de caldo de pollo

30 ml / 2 cucharadas de vino de arroz o jerez seco

30 ml / 2 cucharadas de salsa de soja

450 g / 1 lb de vieiras sin cáscara, en cuartos

6 cebolletas (cebolletas), en rodajas

425 g / 15 oz de mazorcas de elote en conserva

Remojar los champiñones en agua tibia durante 30 minutos y luego escurrir. Deseche los tallos y corte las tapas. Corta las cebollas en gajos y separa las capas. Calentar el aceite y sofreír las cebollas, el apio, los frijoles, el jengibre y el ajo durante 3 minutos. Licuar la harina de maíz con un poco de caldo y luego mezclar con el caldo restante, vino o jerez y salsa de soja. Añadir al wok y llevar a ebullición, revolviendo. Agregue los champiñones, las vieiras, las cebolletas y el maíz y saltee durante unos 5 minutos hasta que las vieiras estén tiernas.

Vieiras con Pimientos

Para 4 personas

30 ml / 2 cucharadas de aceite de cacahuete

3 cebolletas (cebolletas), picadas

1 diente de ajo machacado

2 rodajas de raíz de jengibre picadas

2 pimientos rojos cortados en cubitos

450 g / 1 libra de vieiras sin cáscara

30 ml / 2 cucharadas de vino de arroz o jerez seco

15 ml / 1 cucharada de salsa de soja

15 ml / 1 cucharada de salsa de frijoles amarillos

5 ml / 1 cucharadita de azúcar

5 ml / 1 cucharadita de aceite de sésamo

Calentar el aceite y sofreír las cebolletas, el ajo y el jengibre durante 30 segundos. Agrega los pimientos y sofríe durante 1 minuto. Agregue las vieiras y saltee durante 30 segundos, luego agregue los ingredientes restantes y cocine durante aproximadamente 3 minutos hasta que las vieiras estén tiernas.

Calamares con brotes de soja

Para 4 personas

450 g / 1 libra de calamares

30 ml / 2 cucharadas de aceite de cacahuete

15 ml / 1 cucharada de vino de arroz o jerez seco

100 g / 4 oz de brotes de soja

15 ml / 1 cucharada de salsa de soja

sal

1 guindilla roja, rallada

2 rodajas de raíz de jengibre, ralladas

2 cebolletas (cebolletas), ralladas

Retire la cabeza, las tripas y la membrana del calamar y córtelo en trozos grandes. Corta un patrón entrecruzado en cada pieza. Llevar a ebullición una cacerola con agua, agregar los calamares y cocinar a fuego lento hasta que los trozos se enrollen, retirar y escurrir. Calentar la mitad del aceite y sofreír los calamares rápidamente. Espolvorear con vino o jerez. Mientras tanto, caliente el aceite restante y sofría los brotes de soja hasta que estén tiernos. Sazone con salsa de soja y sal. Coloque la guindilla, el jengibre y las cebolletas alrededor de un plato para servir. Apile los brotes de soja en el centro y cubra con los calamares. Sirva de una vez.

Calamar Frito

Para 4 personas

50 g / 2 oz de harina común (para todo uso)

25 g / 1 oz / ¬° taza de maicena (maicena)

2,5 ml / ¬Ω cucharadita de polvo de hornear

2,5 ml / ¬Ω cucharadita de sal

1 huevo

75 ml / 5 cucharadas de agua

15 ml / 1 cucharada de aceite de cacahuete

450 g / 1 lb de calamares, cortados en aros

aceite para freír

Batir la harina, la maicena, el polvo de hornear, la sal, el huevo, el agua y el aceite para formar una masa. Sumerja los calamares en la masa hasta que estén bien cubiertos. Calentar el aceite y sofreír los calamares unos trozos a la vez hasta que estén dorados. Escurrir sobre papel de cocina antes de servir.

Paquetes de calamar

Para 4 personas

8 hongos chinos secos

450 g / 1 libra de calamares

100 g / 4 oz de jamón ahumado

100 g / 4 oz de tofu

1 huevo batido

15 ml / 1 cucharada de harina común (para todo uso)

2,5 ml / ¬Ω cucharadita de azúcar

2,5 ml / ¬Ω cucharadita de aceite de sésamo

sal y pimienta recién molida

8 pieles de wonton

aceite para freír

Remojar los champiñones en agua tibia durante 30 minutos y luego escurrir. Desecha los tallos. Recorta los calamares y córtalos en 8 trozos. Corta el jamón y el tofu en 8 trozos. Colócalos todos en un bol. Mezclar el huevo con la harina, el azúcar, el aceite de sésamo, la sal y la pimienta. Vierta los ingredientes en el bol y mezcle suavemente. Coloque una tapa de champiñones y un trozo de calamar, jamón y tofu justo debajo del centro de cada piel de wonton. Dobla la esquina inferior, dobla los lados y luego enrolla, humedeciendo los bordes con agua para sellar. Calentar el aceite y freír los bultos durante unos 8 minutos hasta que se doren. Escurrir bien antes de servir.

Rollitos de calamar frito

Para 4 personas

45 ml / 3 cucharadas de aceite de maní (maní)

225 g / 8 oz de anillos de calamar

1 pimiento verde grande, cortado en trozos

100 g / 4 oz de brotes de bambú, en rodajas

2 cebolletas (cebolletas), finamente picadas

1 rodaja de raíz de jengibre, finamente picada

45 ml / 2 cucharadas de salsa de soja

30 ml / 2 cucharadas de vino de arroz o jerez seco

15 ml / 1 cucharada de harina de maíz (maicena)

15 ml / 1 cucharada de caldo de pescado o agua

5 ml / 1 cucharadita de azúcar

5 ml / 1 cucharadita de vinagre de vino

5 ml / 1 cucharadita de aceite de sésamo

sal y pimienta recién molida

Calentar 15 ml / 1 cucharada de aceite y freír los calamares rápidamente hasta que estén bien sellados. Mientras tanto, calentar el aceite restante en una sartén aparte y sofreír el pimiento, los brotes de bambú, las cebolletas y el jengibre durante 2 minutos. Agrega los calamares y sofríe durante 1 minuto. Agregue la salsa de soja, el vino o el jerez, la harina de maíz, el caldo, el azúcar, el vinagre de vino y el aceite de sésamo y sazone con sal y pimienta. Sofríe hasta que la salsa se aclare y espese.

Calamares Salteados

Para 4 personas

45 ml / 3 cucharadas de aceite de maní (maní)

3 cebolletas (cebolletas), en rodajas gruesas

2 rodajas de raíz de jengibre, picadas

450 g / 1 lb de calamares, cortados en trozos

15 ml / 1 cucharada de salsa de soja

15 ml / 1 cucharada de vino de arroz o jerez seco

5 ml / 1 cucharadita de harina de maíz (maicena)

15 ml / 1 cucharada de agua

Calentar el aceite y sofreír las cebolletas y el jengibre hasta que se ablanden. Agrega los calamares y sofríe hasta que estén cubiertos de aceite. Agregue la salsa de soja y el vino o jerez, tape y cocine a fuego lento durante 2 minutos. Mezcle la harina de maíz y el agua hasta formar una pasta, agréguela a la sartén y cocine a fuego lento, revolviendo, hasta que la salsa espese y los calamares estén tiernos.

Calamar con Champiñones Secos

Para 4 personas

50 g / 2 oz de champiñones chinos secos
450 g / 1 libra de aros de calamar
45 ml / 3 cucharadas de aceite de maní (maní)
45 ml / 3 cucharadas de salsa de soja
2 cebolletas (cebolletas), finamente picadas
1 rodaja de raíz de jengibre, picada
225 g / 8 oz de brotes de bambú, cortados en tiras
30 ml / 2 cucharadas de harina de maíz (maicena)
150 ml / ¬° pt / generosa ¬Ω taza de caldo de pescado

Remojar los champiñones en agua tibia durante 30 minutos y luego escurrir. Deseche los tallos y corte las tapas. Escaldar los calamares durante unos segundos en agua hirviendo. Caliente el aceite y luego agregue los champiñones, la salsa de soja, las cebolletas y el jengibre y saltee durante 2 minutos. Agrega los calamares y los brotes de bambú y sofríe durante 2 minutos. Mezcle la harina de maíz y el caldo y revuélvalo en la sartén.

Cocine a fuego lento, revolviendo, hasta que la salsa se aclare y espese.

Calamar con Verduras

Para 4 personas

45 ml / 3 cucharadas de aceite de maní (maní)

1 cebolla en rodajas

5 ml / 1 cucharadita de sal

450 g / 1 lb de calamares, cortados en trozos

100 g / 4 oz de brotes de bambú, en rodajas

2 tallos de apio, cortados en diagonal

60 ml / 4 cucharadas de caldo de pollo

5 ml / 1 cucharadita de azúcar

100 g / 4 oz de tirabeques (guisantes)

5 ml / 1 cucharadita de harina de maíz (maicena)

15 ml / 1 cucharada de agua

Calentar el aceite y sofreír la cebolla y la sal hasta que se dore un poco. Agrega los calamares y sofríe hasta que estén bañados en aceite. Agrega los brotes de bambú y el apio y sofríe durante 3 minutos. Agregue el caldo y el azúcar, lleve a ebullición, tape y cocine a fuego lento durante 3 minutos hasta que las verduras estén tiernas. Agregue el mangetout. Mezcle la harina de maíz y el agua hasta obtener una pasta, revuelva en la sartén y cocine a fuego lento, revolviendo, hasta que la salsa espese.

Carne de res estofada con anís

Para 4 personas

30 ml / 2 cucharadas de aceite de cacahuete

Filete de filete de 450 g / 1 lb

1 diente de ajo machacado

45 ml / 3 cucharadas de salsa de soja

15 ml / 1 cucharada de agua

15 ml / 1 cucharada de vino de arroz o jerez seco

5 ml / 1 cucharadita de sal

5 ml / 1 cucharadita de azúcar

2 dientes de anís estrellado

Calentar el aceite y freír la carne hasta que se dore por todos lados. Agregue los ingredientes restantes, deje hervir a fuego lento, cubra y cocine a fuego lento durante unos 45 minutos, luego dé la vuelta a la carne, agregando un poco más de agua y salsa de soja si la carne se está secando. Cocine a fuego lento durante otros 45 minutos hasta que la carne esté tierna. Deseche el anís estrellado antes de servir.

Ternera con Espárragos

Para 4 personas

450 g / 1 libra de filete de lomo, en cubos

30 ml / 2 cucharadas de salsa de soja

30 ml / 2 cucharadas de vino de arroz o jerez seco

45 ml / 3 cucharadas de harina de maíz (maicena)

45 ml / 3 cucharadas de aceite de maní (maní)

5 ml / 1 cucharadita de sal

1 diente de ajo machacado

350 g / 12 oz de puntas de espárragos

120 ml / 4 fl oz / ¬Ω taza de caldo de pollo

15 ml / 1 cucharada de salsa de soja

Coloca el bistec en un bol. Mezcle la salsa de soja, el vino o el jerez y 30 ml / 2 cucharadas de harina de maíz, vierta sobre el filete y revuelva bien. Dejar macerar durante 30 minutos. Calentar el aceite con la sal y el ajo y sofreír hasta que el ajo esté ligeramente dorado. Agrega la carne y el adobo y sofríe durante 4 minutos. Agrega los espárragos y sofríe suavemente durante 2 minutos. Agregue el caldo y la salsa de soja, lleve a ebullición y cocine a fuego lento, revolviendo durante 3 minutos hasta que la carne esté cocida. Mezcle la harina de maíz restante con un poco más de agua o caldo y revuélvala con la salsa. Cocine a fuego lento, revolviendo, durante unos minutos hasta que la salsa se aclare y espese.

Ternera con Brotes de Bambú

Para 4 personas

45 ml / 3 cucharadas de aceite de maní (maní)

1 diente de ajo machacado

1 cebolla tierna (cebolleta), picada

1 rodaja de raíz de jengibre, picada

225 g / 8 oz de carne magra de res, cortada en tiras

100 g / 4 oz de brotes de bambú

45 ml / 3 cucharadas de salsa de soja

15 ml / 1 cucharada de vino de arroz o jerez seco

5 ml / 1 cucharadita de harina de maíz (maicena)

Calentar el aceite y sofreír el ajo, la cebolleta y el jengibre hasta que estén ligeramente dorados. Agrega la carne y sofríe durante 4 minutos hasta que se dore un poco. Agrega los brotes de bambú y sofríe durante 3 minutos. Agrega la salsa de soja, el vino o el jerez y la maicena y sofríe durante 4 minutos.

Ternera con Brotes de Bambú y Hongos

Para 4 personas

225 g / 8 oz de carne magra de res

45 ml / 3 cucharadas de aceite de maní (maní)

1 rodaja de raíz de jengibre, picada

100 g / 4 oz de brotes de bambú, en rodajas

100 g / 4 oz de champiñones, en rodajas

45 ml / 3 cucharadas de vino de arroz o jerez seco

5 ml / 1 cucharadita de azúcar

10 ml / 2 cucharaditas de salsa de soja

sal y pimienta

120 ml / 4 fl oz / ¬Ω taza de caldo de res

15 ml / 1 cucharada de harina de maíz (maicena)

30 ml / 2 cucharadas de agua

Cortar la carne en rodajas finas a contrapelo. Calentar el aceite y sofreír el jengibre durante unos segundos. Agregue la carne y saltee hasta que se dore. Agrega los brotes de bambú y los champiñones y sofríe durante 1 minuto. Agrega el vino o jerez, el azúcar y la salsa de soja y sazona con sal y pimienta. Agregue el caldo, lleve a ebullición, tape y cocine a fuego lento durante 3 minutos. Mezcle la harina de maíz y el agua, revuelva en la sartén y cocine a fuego lento, revolviendo, hasta que la salsa espese.

Carne de res estofada china

Para 4 personas

45 ml / 3 cucharadas de aceite de maní (maní)

900 g / 2 lb de filete de chuletón

1 cebolla tierna (cebolleta), en rodajas

1 diente de ajo picado

1 rodaja de raíz de jengibre, picada

60 ml / 4 cucharadas de salsa de soja

30 ml / 2 cucharadas de vino de arroz o jerez seco

5 ml / 1 cucharadita de azúcar

5 ml / 1 cucharadita de sal

pizca de pimienta

750 ml / 1¬° pts / 3 tazas de agua hirviendo

Calentar el aceite y dorar rápidamente la carne por todos lados. Agrega la cebolleta, el ajo, el jengibre, la salsa de soja, el vino o jerez, el azúcar, la sal y la pimienta. Llevar a ebullición, revolviendo. Agregue el agua hirviendo, vuelva a hervir, revolviendo, luego cubra y cocine a fuego lento durante aproximadamente 2 horas hasta que la carne esté tierna.

Ternera con Brotes de Frijol

Para 4 personas

450 g / 1 lb de carne magra de res, en rodajas

1 clara de huevo

30 ml / 2 cucharadas de aceite de cacahuete

15 ml / 1 cucharada de harina de maíz (maicena)

15 ml / 1 cucharada de salsa de soja

100 g / 4 oz de brotes de soja

25 g / 1 oz de repollo en escabeche, rallado

1 guindilla roja, rallada

2 cebolletas (cebolletas), ralladas

2 rodajas de raíz de jengibre, ralladas

sal

5 ml / 1 cucharadita de salsa de ostras

5 ml / 1 cucharadita de aceite de sésamo

Mezclar la carne con la clara de huevo, la mitad del aceite, la maicena y la salsa de soja y dejar reposar 30 minutos. Escaldar los brotes de soja en agua hirviendo durante unos 8 minutos hasta que estén casi tiernos y luego escurrir. Caliente el aceite restante y saltee la carne hasta que esté ligeramente dorada, luego retírela de la sartén. Agrega el repollo en escabeche, la guindilla, el jengibre, la sal, la salsa de ostras y el aceite de sésamo y sofríe durante 2 minutos. Agrega los brotes de soja y sofríe durante 2 minutos. Regrese la carne a la sartén y saltee hasta que esté bien mezclada y caliente. Sirva de una vez.

Ternera con brócoli

Para 4 personas

450 g / 1 libra de filete de lomo, en rodajas finas

30 ml / 2 cucharadas de harina de maíz (maicena)

15 ml / 1 cucharada de vino de arroz o jerez seco

15 ml / 1 cucharada de salsa de soja

30 ml / 2 cucharadas de aceite de cacahuete

5 ml / 1 cucharadita de sal

1 diente de ajo machacado

225 g / 8 oz de floretes de brócoli

150 ml / ¬° pt / generoso ¬Ω taza de caldo de res

Coloca el bistec en un bol. Mezclar 15 ml / 1 cucharada de harina de maíz con el vino o el jerez y la salsa de soja, incorporar a la carne y dejar macerar durante 30 minutos. Calentar el aceite con la sal y el ajo y sofreír hasta que el ajo esté ligeramente dorado. Agrega el bistec y la marinada y sofríe durante 4 minutos. Agrega el brócoli y sofríe durante 3 minutos. Agregue el caldo, lleve a ebullición, tape y cocine a fuego lento durante 5 minutos hasta que el brócoli esté tierno pero aún crujiente. Mezcle la harina de maíz restante con un poco de agua y revuélvala con la salsa. Cocine a fuego lento, revolviendo hasta que la salsa se aclare y espese.

Ternera al Ajonjolí con Brócoli

Para 4 personas

150 g / 5 oz de carne magra de res, en rodajas finas

2,5 ml / ¬Ω cucharadita de salsa de ostras

5 ml / 1 cucharadita de harina de maíz (maicena)

5 ml / 1 cucharadita de vinagre de vino blanco

60 ml / 4 cucharadas de aceite de cacahuete

100 g / 4 oz de floretes de brócoli

5 ml / 1 cucharadita de salsa de pescado

2,5 ml / ¬Ω cucharadita de salsa de soja

250 ml / 8 fl oz / 1 taza de caldo de res

30 ml / 2 cucharadas de semillas de sésamo

Marine la carne con la salsa de ostras, 2,5 ml / ¬Ω cucharadita de harina de maíz, 2,5 ml / ¬Ω cucharadita de vinagre de vino y 15 ml / 1 cucharada de aceite durante 1 hora.

Mientras tanto, caliente 15 ml / 1 cucharada de aceite, agregue el brócoli, 2.5 ml / ¬Ω cucharadita de salsa de pescado, la salsa de soja y el vinagre de vino restante y cubra con agua hirviendo. Cocine a fuego lento durante unos 10 minutos hasta que estén tiernos.

Calentar 30 ml / 2 cucharadas de aceite en una sartén aparte y sofreír la carne brevemente hasta que esté sellada. Agrega el caldo, la harina de maíz restante y la salsa de pescado, lleva a ebullición, tapa y cocina a fuego lento durante unos 10 minutos hasta que la carne esté tierna. Escurre el brócoli y colócalo en un plato para servir caliente. Cubra con la carne y espolvoree generosamente con semillas de sésamo.

Carne asada

Para 4 personas

450 g / 1 libra de bistec magro, en rodajas

60 ml / 4 cucharadas de salsa de soja

2 dientes de ajo machacados

5 ml / 1 cucharadita de sal

2,5 ml / ¬Ω cucharadita de pimienta recién molida

10 ml / 2 cucharaditas de azúcar

Mezclar todos los ingredientes y dejar macerar durante 3 horas. Asar a la parrilla o asar (asar) sobre una parrilla caliente durante unos 5 minutos por cada lado.

Carne Cantonesa

Para 4 personas

30 ml / 2 cucharadas de harina de maíz (maicena)

2 claras de huevo batidas

450 g / 1 libra de bistec, cortado en tiras

aceite para freír

4 tallos de apio, en rodajas

2 cebollas en rodajas

60 ml / 4 cucharadas de agua

20 ml / 4 cucharaditas de sal

75 ml / 5 cucharadas de salsa de soja

60 ml / 4 cucharadas de vino de arroz o jerez seco

30 ml / 2 cucharadas de azúcar

pimienta recién molida

Mezclar la mitad de la maicena con las claras de huevo. Agregue el bistec y mezcle para cubrir la carne con la masa. Calentar el aceite y sofreír el bife hasta que se dore. Retirar de la sartén y escurrir sobre papel de cocina. Calentar 15 ml / 1 cucharada de aceite y sofreír el apio y la cebolla durante 3 minutos. Agrega la carne, el agua, la sal, la salsa de soja, el vino o jerez y el azúcar y sazona con pimienta. Lleve a ebullición y cocine a fuego lento, revolviendo, hasta que la salsa espese.

Para 4 personas

30 ml / 2 cucharadas de aceite de cacahuete

450 g / 1 lb de carne magra de res, en cubos

2 cebolletas (cebolletas), en rodajas

2 dientes de ajo machacados

1 rodaja de raíz de jengibre, picada

250 ml / 8 fl oz / 1 taza de salsa de soja

30 ml / 2 cucharadas de vino de arroz o jerez seco

30 ml / 2 cucharadas de azúcar morena

5 ml / 1 cucharadita de sal

600 ml / 1 pt / 2 Ω tazas de agua

4 zanahorias, cortadas en diagonal

Calentar el aceite y freír la carne hasta que esté ligeramente dorada. Escurrir el exceso de aceite y añadir las cebolletas, el ajo, el jengibre y el anís frito durante 2 minutos. Agregue la salsa de soja, el vino o el jerez, el azúcar y la sal y mezcle bien. Agrega el agua, lleva a ebullición, tapa y cocina a fuego lento durante 1 hora. Agregue las zanahorias, tape y cocine a fuego lento durante 30 minutos más. Retire la tapa y cocine a fuego lento hasta que la salsa se haya reducido.

Para 4 personas

60 ml / 4 cucharadas de aceite de cacahuete

450 g / 1 libra de filete de lomo, en rodajas finas

8 cebolletas (cebolletas), cortadas en trozos

2 dientes de ajo machacados

1 rodaja de raíz de jengibre, picada

75 g / 3 oz / ¬œ taza de anacardos tostados

120 ml / 4 fl oz / ¬Ω taza de agua

20 ml / 4 cucharaditas de harina de maíz (maicena)

20 ml / 4 cucharaditas de salsa de soja

5 ml / 1 cucharadita de aceite de sésamo

5 ml / 1 cucharadita de salsa de ostras

5 ml / 1 cucharadita de salsa de chile

Calentar la mitad del aceite y sofreír la carne hasta que esté ligeramente dorada. Retirar de la sartén. Calentar el aceite restante y sofreír las cebolletas, el ajo, el jengibre y los anacardos durante 1 minuto. Regrese la carne a la sartén. Mezcle los ingredientes restantes y revuelva la mezcla en la sartén. Lleve a ebullición y cocine a fuego lento, revolviendo, hasta que la mezcla espese.

Cazuela de ternera a fuego lento

Para 4 personas

30 ml / 2 cucharadas de aceite de cacahuete

450 g / 1 lb de carne para guisar, en cubos

3 rodajas de raíz de jengibre, picada

3 zanahorias en rodajas

1 nabo en cubos

15 ml / 1 cucharada de dátiles negros, apedreados

15 ml / 1 cucharada de semillas de loto

30 ml / 2 cucharadas de puré de tomate (pasta)

10 ml / 2 cucharadas de sal

900 ml / 1¬Ω pts / 3¬œ tazas de caldo de res

250 ml / 8 fl oz / 1 taza de vino de arroz o jerez seco

Caliente el aceite en una cazuela o sartén grande ignífugo y fría la carne hasta que esté sellada por todos lados.

Ternera con Coliflor

Para 4 personas

225 g / 8 oz de cogollos de coliflor
aceite para freír
225 g / 8 oz de carne de res, cortada en tiras
50 g / 2 oz de brotes de bambú, cortados en tiras
10 castañas de agua, cortadas en tiras
120 ml / 4 fl oz / ¬Ω taza de caldo de pollo
15 ml / 1 cucharada de salsa de soja
15 ml / 1 cucharada de salsa de ostras
15 ml / 1 cucharada de puré de tomate (pasta)
15 ml / 1 cucharada de harina de maíz (maicena)
2,5 ml / ¬Ω cucharadita de aceite de sésamo

Sancochar la coliflor durante 2 minutos en agua hirviendo y luego escurrir. Calentar el aceite y sofreír la coliflor hasta que esté ligeramente dorada. Retirar y escurrir sobre papel de cocina. Recalentar el aceite y freír la carne hasta que esté ligeramente dorada, luego retirar y escurrir. Vierta todo menos 15 ml / 1 cucharada de aceite y saltee los brotes de bambú y las castañas de agua durante 2 minutos. Agregue los ingredientes restantes, lleve a ebullición y cocine a fuego lento, revolviendo, hasta que la salsa espese. Regrese la carne y la coliflor a la sartén y vuelva a calentar suavemente. Sirva de una vez.

Ternera con Apio

Para 4 personas

100 g / 4 oz de apio, cortado en tiras

45 ml / 3 cucharadas de aceite de maní (maní)

2 cebolletas (cebolletas), picadas

1 rodaja de raíz de jengibre, picada

225 g / 8 oz de carne magra de res, cortada en tiras

30 ml / 2 cucharadas de salsa de soja

30 ml / 2 cucharadas de vino de arroz o jerez seco

2,5 ml / ¬Ω cucharadita de azúcar

2,5 ml / ¬Ω cucharadita de sal

Blanquear el apio en agua hirviendo durante 1 minuto y luego escurrir bien. Calentar el aceite y sofreír las cebolletas y el jengibre hasta que estén ligeramente dorados. Agrega la carne y sofríe durante 4 minutos. Agrega el apio y sofríe durante 2 minutos. Agrega la salsa de soja, el vino o jerez, el azúcar y la sal y sofríe durante 3 minutos.

Rodajas de ternera fritas con apio

Para 4 personas

30 ml / 2 cucharadas de aceite de cacahuete

450 g / 1 lb de carne magra de res, cortada en rodajas

3 tallos de apio, rallado

1 cebolla, rallada

1 cebolla tierna (cebolleta), en rodajas

1 rodaja de raíz de jengibre, picada

30 ml / 2 cucharadas de salsa de soja

15 ml / 1 cucharada de vino de arroz o jerez seco

2,5 ml / ¬Ω cucharadita de azúcar

2,5 ml / ¬Ω cucharadita de sal

10 ml / 2 cucharaditas de harina de maíz (maicena)

30 ml / 2 cucharadas de agua

Calentar la mitad del aceite hasta que esté muy caliente y freír la carne durante 1 minuto hasta que se dore. Retirar de la sartén. Calentar el aceite restante y sofreír el apio, la cebolla, la cebolleta y el jengibre hasta que se ablanden un poco. Regrese la carne a la sartén con la salsa de soja, el vino o el jerez, el azúcar y la sal, lleve a ebullición y saltee para que se caliente. Mezcle la harina de maíz y el agua, revuelva en la sartén y cocine a fuego lento hasta que la salsa espese. Sirva de una vez.

Carne de Res Triturada con Pollo y Apio

Para 4 personas

4 hongos chinos secos

45 ml / 3 cucharadas de aceite de maní (maní)

2 dientes de ajo machacados

1 raíz de jengibre en rodajas, picada

5 ml / 1 cucharadita de sal

100 g / 4 oz de carne magra de res, cortada en tiras

100 g / 4 oz de pollo, cortado en tiras

2 zanahorias, cortadas en tiras

2 tallos de apio, cortados en tiras

4 cebolletas (cebolletas), cortadas en tiras

5 ml / 1 cucharadita de azúcar

5 ml / 1 cucharadita de salsa de soja

5 ml / 1 cucharadita de vino de arroz o jerez seco

45 ml / 3 cucharadas de agua

5 ml / 1 cucharadita de harina de maíz (maicena)

Remojar los champiñones en agua tibia durante 30 minutos y luego escurrir. Desechar los tallos y picar las tapas. Calentar el aceite y sofreír el ajo, el jengibre y la sal hasta que estén ligeramente dorados. Agregue la carne y el pollo y fría hasta que empiece a dorarse. Agregue el apio, las cebolletas, el azúcar, la salsa de soja, el vino o jerez y el agua y deje hervir. Tape y cocine a fuego lento durante unos 15 minutos hasta que la carne esté tierna. Mezcle la harina de maíz con un poco de agua, revuélvala con la salsa y cocine a fuego lento, revolviendo, hasta que la salsa espese.

Carne de Res con Chile

Para 4 personas

450 g / 1 libra de filete de lomo, cortado en tiras

45 ml / 3 cucharadas de salsa de soja

15 ml / 1 cucharada de vino de arroz o jerez seco

15 ml / 1 cucharada de azúcar morena

15 ml / 1 cucharada de raíz de jengibre finamente picada

30 ml / 2 cucharadas de aceite de cacahuete

50 g / 2 oz de brotes de bambú, cortados en palillos

1 cebolla cortada en tiritas

1 rama de apio, cortado en palitos de fósforo

2 chiles rojos, sin semillas y cortados en tiras

120 ml / 4 fl oz / ¬Ω taza de caldo de pollo

15 ml / 1 cucharada de harina de maíz (maicena)

Coloca el bistec en un bol. Mezcle la salsa de soja, el vino o el jerez, el azúcar y el jengibre y revuélvalo con el bistec. Dejar macerar durante 1 hora. Retire el bistec de la marinada. Calentar la mitad del aceite y sofreír los brotes de bambú, la cebolla, el apio y la guindilla durante 3 minutos y luego retirarlos de la sartén. Calentar el aceite restante y sofreír el bistec durante 3 minutos. Incorporar la marinada, llevar a ebullición y añadir las verduras fritas. Cocine a fuego lento, revolviendo, durante 2 minutos. Mezcle el caldo y la harina de maíz y agréguelo a la sartén. Lleve a ebullición y cocine a fuego lento, revolviendo, hasta que la salsa se aclare y espese.

Ternera con Col China

Para 4 personas

225 g / 8 oz de carne magra de res

30 ml / 2 cucharadas de aceite de cacahuete

350 g / 12 oz de col china, rallada

120 ml / 4 fl oz / ¬Ω taza de caldo de res

sal y pimienta recién molida

10 ml / 2 cucharaditas de harina de maíz (maicena)

30 ml / 2 cucharadas de agua

Cortar la carne en rodajas finas a contrapelo. Calentar el aceite y sofreír la carne hasta que se dore. Agrega la col china y sofríe hasta que se ablande un poco. Añadir el caldo, llevar a ebullición y sazonar con sal y pimienta. Tape y cocine a fuego lento durante 4 minutos hasta que la carne esté tierna. Mezcle la harina de maíz y el agua, revuelva en la sartén y cocine a fuego lento, revolviendo, hasta que la salsa espese.

Chop Suey de ternera

Para 4 personas

3 tallos de apio, en rodajas

100 g / 4 oz de brotes de soja

100 g / 4 oz de floretes de brócoli

60 ml / 4 cucharadas de aceite de cacahuete

3 cebolletas (cebolletas), picadas

2 dientes de ajo machacados

1 rodaja de raíz de jengibre, picada

225 g / 8 oz de carne magra de res, cortada en tiras

45 ml / 3 cucharadas de salsa de soja

15 ml / 1 cucharada de vino de arroz o jerez seco

5 ml / 1 cucharadita de sal

2,5 ml / ¬Ω cucharadita de azúcar

pimienta recién molida

15 ml / 1 cucharada de harina de maíz (maicena)

Escaldar el apio, los brotes de soja y el brócoli en agua hirviendo durante 2 minutos, luego escurrir y secar. Calentar 45 ml / 3 cucharadas de aceite y sofreír las cebolletas, el ajo y el jengibre hasta que estén ligeramente dorados. Agrega la carne y sofríe durante 4 minutos. Retirar de la sartén. Calentar el aceite restante y sofreír las verduras durante 3 minutos. Agrega la carne, la salsa de soja, el vino o jerez, la sal, el azúcar y una pizca de pimienta y sofríe durante 2 minutos. Mezcle la harina de maíz con un poco de agua, revuélvala en la sartén y cocine a fuego lento, revolviendo, hasta que la salsa se aclare y espese.

Ternera con Pepino

Para 4 personas

450 g / 1 libra de filete de lomo, en rodajas finas
45 ml / 3 cucharadas de salsa de soja
30 ml / 2 cucharadas de harina de maíz (maicena)
60 ml / 4 cucharadas de aceite de cacahuete
2 pepinos, pelados, sin semillas y en rodajas
60 ml / 4 cucharadas de caldo de pollo
30 ml / 2 cucharadas de vino de arroz o jerez seco
sal y pimienta recién molida

Coloca el bistec en un bol. Mezcle la salsa de soja y la harina de maíz y agregue al bistec. Dejar macerar durante 30 minutos. Calentar la mitad del aceite y sofreír los pepinos durante 3 minutos hasta que estén opacos y luego retirarlos de la sartén. Calentar el aceite restante y sofreír el bistec hasta que se dore. Agrega los pepinos y sofríe durante 2 minutos. Agrega el caldo, el vino o el jerez y sazona con sal y pimienta. Llevar a ebullición, tapar y cocinar a fuego lento durante 3 minutos.

Carne Chow Mein

Para 4 personas

750 g / 1 ¬Ω lb de lomo de res

2 cebollas

45 ml / 3 cucharadas de salsa de soja

45 ml / 3 cucharadas de vino de arroz o jerez seco

15 ml / 1 cucharada de mantequilla de maní

5 ml / 1 cucharadita de jugo de limón

350 g / 12 oz de fideos de huevo

60 ml / 4 cucharadas de aceite de cacahuete

175 ml / 6 fl oz / ¬œ taza de caldo de pollo

15 ml / 1 cucharada de harina de maíz (maicena)

30 ml / 2 cucharadas de salsa de ostras

4 cebolletas (cebolletas), picadas

3 tallos de apio, en rodajas

100 g / 4 oz de champiñones, en rodajas

1 pimiento verde cortado en tiritas

100 g / 4 oz de brotes de soja

Retire y deseche la grasa de la carne. Corta a lo largo de la fibra en rodajas finas. Corta las cebollas en gajos y separa las capas. Mezcle 15 ml / 1 cucharada de salsa de soja con 15 ml / 1 cucharada de vino o jerez, la mantequilla de maní y el jugo de limón. Incorporar la carne, tapar y dejar reposar durante 1 hora. Cocine los fideos en agua hirviendo durante unos 5 minutos o hasta que estén tiernos. Escurrir bien. Calentar 15 ml / 1 cucharada de aceite, añadir 15 ml / 1 cucharada de salsa de soja y los fideos y freír durante 2 minutos hasta que estén ligeramente dorados. Transfiera a un plato para servir caliente.

Mezcle el resto de la salsa de soja y el vino o jerez con el caldo, la harina de maíz y la salsa de ostras. Calentar 15 ml / 1 cucharada de aceite y sofreír las cebollas durante 1 minuto. Agrega el apio, los champiñones, la pimienta y los brotes de soja y sofríe durante 2 minutos. Retirar del wok. Calentar el aceite restante y sofreír la carne hasta que se dore. Agregue la mezcla de caldo, lleve a ebullición, tape y cocine a fuego lento durante 3 minutos. Regrese las verduras al wok y cocine a fuego lento, revolviendo, durante unos 4 minutos hasta que estén calientes. Vierta la mezcla sobre los fideos y sirva.

Filete de pepino

Para 4 personas

450 g / 1 libra de filete de lomo

10 ml / 2 cucharaditas de harina de maíz (maicena)

10 ml / 2 cucharaditas de sal

2,5 ml / ¬Ω cucharadita de pimienta recién molida

90 ml / 6 cucharadas de aceite de cacahuete (maní)

1 cebolla finamente picada

1 pepino, pelado y en rodajas

120 ml / 4 fl oz / ¬Ω taza de caldo de res

Cortar el filete en tiras y luego en rodajas finas a contrapelo. Coloque en un bol y agregue la maicena, la sal, la pimienta y la mitad del aceite. Dejar macerar durante 30 minutos. Calentar el aceite restante y freír la carne y la cebolla hasta que estén ligeramente doradas. Agrega los pepinos y el caldo, lleva a ebullición, tapa y cocina a fuego lento durante 5 minutos.